LE GOUFFRE LUMINEUX

LE GOUFFRE LUMINEUX

**Les carnets
d'Anick Lemay**

Auteure : **Anick Lemay**

Édition du texte : **Rose-Aimée Automne T. Morin**

Révision et correction : **Émilie Choquet**

Design graphique et illustration : **Anne-Marie Deblois**

Photographe : **Julie Perreault**

Infographie : **Julie Gauthier**

Photos tirées des chroniques : **Anick Lemay**

L'éditeur et l'auteure tiennent également à souligner l'implication des personnes suivantes : Keven Poisson et Thomas Delorme (assistants-photographe), Valérie Laliberté (retouche photo), Mélanie Larivière (styliste), Camille Internoscia (assistante-styliste), Amélie Bruneau-Longpré (maquillage et coiffure d'Anick), Anaëlle Huteau, Emmanuelle Giroux, Fatima Morales, Janie Drouin et Nève Chamberlain (maquillage et coiffure des fées, docteures et infirmières) et La Maison Simons pour le prêt de vêtements et accessoires.

Pour chaque livre vendu, un dollar a été remis à la Fondation québécoise du cancer par l'éditeur, en collaboration avec l'auteure.

Dans ce livre, l'emploi du genre masculin a été utilisé dans le seul but d'alléger le texte, sans aucune intention à caractère discriminatoire.

URBANIA
880, rue Roy Est, Suite 200
Montréal, Québec, H2L 1E6
www.urbania.ca

Distribution :
Flammarion/Socadis
420, rue Stinson
Saint-Laurent, Québec, H4N 3L7
www.socadis.ca

ISBN   978-2-9818043-0-3

Dépôt légal — Bibliothèque et Archives nationales du Québec et Bibliothèque et Archives Canada, 2019

Si c'est vrai que la vie t'apporte
ce que tu peux prendre,
faut croire que j'suis capable
d'en prendre en crisse.

Anick, livre un, verset inconnu

Itinéraire

– 10   **PRÉAMBULE**

– 15   **LE GOUFFRE LUMINEUX**

– 19   **MON MANÈGE À MOI**

– 23   **MON ÉLASTIQUE**

– 29   **PLEURER DANS MA BOUCHE**

– 35   **LA MACHINE À L'ENVERS**

– 42   **SANG BON SANG**

– 49   **METAMORPHOSIS**

– 53   **TROIS FOIS LA MESURE DE L'AMOUR**

– 58   **GRANDIR, ÇA FAIT MAL**

– 67   **QUAND JE ME FAIS DU CINÉMA**

– 75   **THE GREAT ESCAPE**

– 85   **VIVACE ET ODORANTE**

– 91   **OLD FASHIONED BOWIE**

– 99   **BRÛLÉE ET VIVE**

– 104   **LA DERNIÈRE SÉANCE**

– 110   **ANICK NIQUE LA BÊTE**

– 114   **REMERCIEMENTS**

Itinéraire

– 10   **PRÉAMBULE**

– 15   **LE GOUFFRE LUMINEUX**

– 19   **MON MANÈGE À MOI**

– 23   **MON ÉLASTIQUE**

– 29   **PLEURER DANS MA BOUCHE**

– 35   **LA MACHINE À L'ENVERS**

– 42   **SANG BON SANG**

– 49   **METAMORPHOSIS**

– 53   **TROIS FOIS LA MESURE DE L'AMOUR**

– 58   **GRANDIR, ÇA FAIT MAL**

– 67   **QUAND JE ME FAIS DU CINÉMA**

– 75   **THE GREAT ESCAPE**

– 85   **VIVACE ET ODORANTE**

– 91   **OLD FASHIONED BOWIE**

– 99   **BRÛLÉE ET VIVE**

– 104   **LA DERNIÈRE SÉANCE**

– 110   **ANICK NIQUE LA BÊTE**

– 114   **REMERCIEMENTS**

PRÉAMBULE

9 avril 2019

Il y a un an, presque jour pour jour, le ciel me tombait sur la tête.

Avec un bout de ciel comme chapeau, le monde est tout à coup moins vaste, et la vue porte moins loin. C'est le genre de couvre-chef qui écrase, qui réduit les mouvements. C'est lourd, un ciel. Ça te commande de t'arrêter. Ça t'oblige à entrer à l'intérieur de toi, ne serait-ce que pour te protéger. Ça te force à regarder différemment. Te regarder différemment. Mais surtout, ça t'oblige à prendre le temps. Prendre ton temps pour comprendre de quel bois tu te chauffes.

Dit de même, on pourrait presque penser que j'ai fait une retraite au Tibet dans un monastère bouddhiste... Crois-moi, c'est loin d'être le cas.

Durant cette descente vertigineuse, j'ai fait ce rêve étrange : je cours à une vitesse folle. Vers quoi ? Je ne sais pas, mais je cours à grandes enjambées. Devant moi se dessinent les contours d'une piscine remplie d'eau scintillante. Je me donne un élan titanesque et je suis presque certaine de sauter assez haut pour l'enjamber. Mais comme je suis dans un rêve, le plan d'eau s'agrandit sous moi et prend des allures de piscine éternelle.

Mon élan ne sert plus à rien.

Je tombe dans ce liquide sarcelle et je coule en essayant de nager vers la surface. Tout mon corps travaille vers le haut, mais ma descente se poursuit inlassablement. Au bout d'un moment à me débattre, j'abandonne. Je lâche prise. Je me laisse couler. Étrangement, à partir de là, le calme aquatique me remplit, je flotte et... je m'aperçois que je respire. Je respire dans l'eau !

J'apprivoise cet univers sous-marin avec une curiosité sereine. L'eau qui m'entoure a la douceur du plus fin des velours. Je suis toute seule dans l'immensité et je me sens divinement bien. Mais j'ai soif. Une soif folle. Je me remets donc à nager vers la surface et, cette fois-ci, comme par magie, je me retrouve au-dessus de la piscine où un verre de vin blanc m'attend... Faut que je te dise que j'adore le vin blanc. Je devrais être contente, mais ce n'est pas ce que ma bouche et ma gorge réclament.

Quand je me suis réveillée, mon verre d'eau m'attendait sur ma table de chevet. Et le calme que j'ai ressenti dans la nuit est resté en moi. Il a refermé ce gouffre qui m'avalait depuis le 5 mars. À partir de ce rêve-là, j'ai écrit ma première chronique : « Le gouffre lumineux ». Et c'est comme ça que sont nés mes carnets.

Si tu as choisi mon livre par simple curiosité, pour t'ouvrir à quelque chose qui te fait peut-être peur ou juste parce qu'il traînait sur une table près de toi, je te souhaite la bienvenue dans cet univers effroyable et fascinant, peuplé de gens incroyablement inspirants.

Mais si tu tiens ce livre entre tes mains parce que tu as reçu récemment une mauvaise nouvelle ou que quelqu'un que tu aimes porte le ciel comme chapeau, sache que dans les deux cas, je suis désolée et de tout cœur avec toi.

Je me suis fait dire que mes mots avaient eu un effet bienfaisant sur plusieurs personnes. J'espère qu'ils agiront de la même façon pour toi.

Tu n'es plus tout seul.

Anick

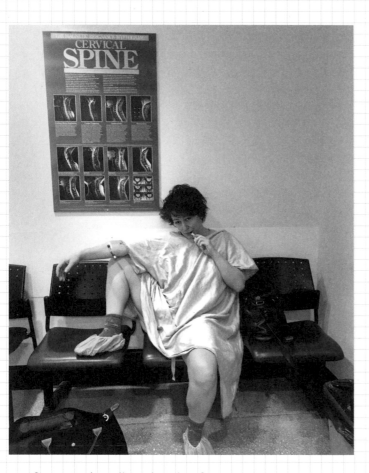

Sur cette photo, j'en suis au jour 3
d'une série d'examens angoissants.
Claustrophobe et supra-anxieuse,
je découvre la puissance
des anxiolytiques.

LE GOUFFRE LUMINEUX

9 avril 2018

Je me réveille en sursaut comme dans les films. J'ignore ce qui m'arrive, mais mon cœur sort littéralement de ma poitrine ; je le vois, juste à droite de mon sein gauche. Bam ! Bam ! Bam ! Il cogne tellement fort que j'ai peur qu'il réveille ma fille, étendue à côté de moi, si belle dans son sommeil. Oui, oui, je sais... Elle est grande. Mais c'est la semaine de relâche, et on est toutes seules au chalet. Ça fait qu'on se gâte : on se colle.

Ça, c'était il y a cinq semaines. Deux jours plus tard, le 5 mars, j'apprenais que j'avais le cancer du sein. Comme quoi, des fois, l'inconscient travaille le corps...

Tu sais, la fameuse pub sur le cancer ? Celle où tout le monde tombe sur le dos en apprenant le diagnostic ? C'est exactement comme ça que ça se passe. Le choc est brutal. Surtout pour ceux qui t'aiment et qui tiennent à toi, parce que toi... Toi, t'es foudroyé.

Le temps s'arrête comme dans les films d'action remplis de plans au ralenti qui mettent en valeur les prouesses physiques des acteurs, les gouttes de sueur qui revolent et le sang qui gicle. Sauf qu'ici, y'a pas de personnages ni d'équipe technique. Y'a juste toi, la lumière froide des néons qui te donne déjà l'air malade et les battements de ton cœur qui s'accélèrent. Tellement que t'entends juste ça.

T'entends juste ça.

Mais ne t'inquiète pas, moi aussi je vais finir par tomber. Dès que ma tête va comprendre ce qui se passe. Mais je ne tomberai pas sur le dos comme ceux que j'aime, je vais tomber par en bas. Jusqu'à toucher le fond, le mien. Parce qu'il est différent pour chacun. Et mon gouffre, vois-tu, il est profond. Mon gouffre est abyssal.

Je suis capable d'en prendre.

À travers ma descente, tel un zombie dans le film de Robin Aubert, j'ai commencé à passer les examens en prévision de l'opération.

Ça sent fort, un hôpital. Ça sent mélangé. Ça va du produit désinfectant au parfum trop sucré de la vieille dame sur la civière, de l'haleine omniprésente de la femme aux dents malades assise trois bancs plus loin à l'odeur de tabac froid de l'homme sans âge qui doit fumer minimum trois paquets par jour.

On dit que j'ai le nez fin. J'imagine que c'est vrai, mais si je ressors de mon gouffre, c'est entre autres grâce à (ou à cause de) toutes ces odeurs. Elles me fouettent les sens. La réalité m'apparaît, brumeuse au début, puis de plus en plus claire : je suis assise dans un couloir d'hôpital, dans l'attente qu'un liquide nucléaire colore mes os. Et j'ai le cancer.

Je n'ai plus de repères. Je flotte dans le vide. Je n'ai plus le moindre contrôle sur ma vie. Je ne peux pas travailler, impossible de faire mon théâtre d'été, plus de télé non plus pour un bout... Shit. Ça va se savoir. C'est sûr et certain.

Je n'ai jamais été friande du *front page* de nos revues à potins. Il faut se dévoiler un peu trop à mon goût. Oh, je comprends, faut ce qu'il faut dans mon métier! Tu dois en donner suffisamment pour que le public ait l'impression de te connaître un peu plus, un peu mieux. Ça lui fait plaisir et ça fait aussi plaisir à tes employeurs. Alors tu accordes des entrevues, tu t'étampes un beau sourire pour les photos et tu réponds. Juste assez.

Ma vie privée, je suis parvenue à la garder pour moi, et les journalistes ont toujours été très respectueux. Le public aussi. Mais tout à coup, mon quatrième mur tombe. Je ne pourrai pas me protéger ni cacher la maladie. On va bientôt la voir tatouée sur mon crâne nu.

Je n'ai plus aucun contrôle. Je vis un *reset* foudroyant, hallucinant. Te dire mes rêves! Tim Burton serait jaloux... Le seul pouvoir que j'ai, c'est de sortir la « nouvelle » à ma façon. Et comme j'ai une sainte horreur des mises en scène qui viennent avec les réseaux sociaux (que ce soit la glorification des êtres ou celle du dernier pâté chinois à l'effiloché de porc de ta cousine servi dans une assiette artisanale de la Côte-Nord), j'ai approché un média que j'aime, URBANIA. On m'a proposé une chronique.

C'est pour ça que tu me lis aujourd'hui. Je m'appelle Anick Lemay, j'ai 47 ans et j'ai le cancer du sein.

J'ai envie de profiter de cette tribune pour prendre ta main et te faire découvrir mon nouvel univers. En temps réel. C'est ça, 2018, non? L'instantané?

Mais si tu embarques, faut que tu sois averti : y'aura pas de filtre. Pas de Photoshop, pas de mise en scène. Juste des portes qui s'ouvrent sur un monde où on pense que ça va sentir la mort, mais où, mon nouvel ami, c'est lumineux et ça grouille de vie. Je te le jure. Je n'ai jamais été aussi vivante qu'aujourd'hui. Sauf, peut-être, à la naissance de ma fille...

Fait qu'on se retrouve après l'opération? Mais laisse-moi du temps, paraît que c'est un peu difficile.

T'as l'air smatte. Je t'aime déjà.

Cette photo a été prise le lendemain de l'opération, au petit matin... À voir ma face, je suis encore sur le gros stock de la veille en plus des antidouleurs, les drains bien cachés dans les poches de mon kangourou.

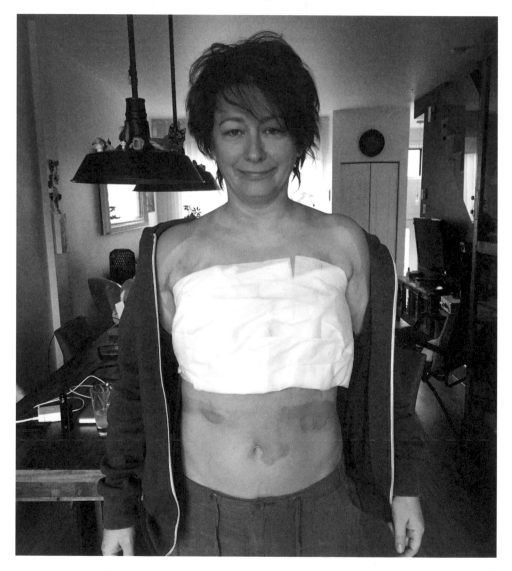

MON MANÈGE À MOI

19 avril 2018

J'ai soif. Terriblement soif. Ma gorge brûle. J'ai comme une fourrure sur les dents et l'impression d'avoir avalé une plage de sable blanc... Méchante cuite. Je ne sais pas où je suis. Incapable d'ouvrir mes yeux, je tends l'oreille : il y a des gens qui discutent, mais je ne les reconnais pas. Réfléchis, Lemay. Réfléchis.

Ça, c'était dans la salle de réveil, le 11 avril. Date tant attendue de mon opération.

Tu ne le sais pas encore, mais entre le diagnostic et l'opération, il s'en est passé des affaires. Le pire manège du monde. Difficile pour moi d'être en temps réel finalement. Je suis obligée de faire *Rewind* pour que tu comprennes bien.

Donc, une semaine avant la parution de ma première chronique, je suis allée souper avec mon amie Angella. Cette fille-là, c'est une amazone. Une vraie.

« Enlève les deux. Tout de suite. Moi, si c'était à refaire, c'est ça que je ferais. »

Il est drastique, mais rempli d'amour, ce conseil-là. Je le sais, je le comprends, mais attends... Ça fait trois semaines que je me fais à l'idée de perdre mon sein gauche. Mon sein droit, il va bien, je l'aime encore. Je ne suis pas rendue là, Angie. Pas pantoute.

Le lendemain, le mercredi 4 avril, je reçois un appel provenant d'un NUMÉRO MASQUÉ. C'est l'hôpital, je le sais maintenant. Je saute sur le cellulaire. Ma doc, Dominique, demande une échographie de mon sein droit pour terminer le bilan opératoire. Y'a pas de hasard... Je panique en faisant les cent pas jusqu'au lever du jour.

Le jeudi 5 avril, au petit matin, l'échographie révèle effectivement une bosse dans mon sein droit. Une bosse que la mammographie n'avait pas détectée. Couchée sur la table, dans la pénombre, j'accepte la biopsie en pensant à Angie.

Le vendredi 6 avril, NUMÉRO MASQUÉ. On me demande de passer une résonance magnétique pour... le foie. Là, je te jure que j'ai ri. Vraiment. Comme une hyène, je pense. Un petit rire hystérique qui n'en finissait plus. Rendue là...

Je suis attendue à l'hôpital lundi prochain. Il me reste quoi ? Deux anxiolytiques ? Ils vont servir.

·

Le week-end se passe en Estrie. Il y a les funérailles de ma tante Pauline le samedi – depuis que je sais que j'ai le cancer, deux de mes tantes sont parties à deux semaines d'intervalle – et le 101e anniversaire de ma grand-mère Rollande le dimanche. La vie : tout et son contraire.

Ma vie.

Tu sais, le manège dont je t'ai parlé plus haut ? Ça fait juste commencer à monter... Entends-tu ?

Tic-tic-tic-tic-tic.

Prends ma main. Tiens-la fort.

·

Lundi, résonance du foie. J'avale rien qu'une pilule pour me calmer. Je veux garder l'autre pour demain soir, veille de l'opération. D'un coup que je panique dans ma maison aux cent pas, tsé.

Je passe la soirée avec ma fille. On regarde un film mettant en vedette Wonder Woman pour se changer les idées. Je me dis que je vais reprendre le tir à l'arc quand tout ça sera derrière moi. C'est mon dernier moment avec elle avant l'intervention chirurgicale. On se colle. Fort. Elle ira chez son père durant ma convalescence. Elle va me manquer. Ma fille me manque tout le temps.

Mardi 10 avril. Veille de l'opération. NUMÉRO MASQUÉ. Là, mon ami, on est au *top* de la montagne russe. Tu sais, le petit laps de temps où tu n'entends plus de tic-tic-tic et pendant lequel ton wagon s'arrête au premier sommet ?

Un... deux... Prêt ?

On descend. Nos fesses décollent de sur le banc.

Je suis face à ma doc Dom. Re-pub du cancer, fois mille. Mais là, personne ne tombe. Les chaises sont soudées au plancher. C'est la terre qui tremble. Ou moi.

Les nouvelles ne sont pas bonnes.

Il y a effectivement un autre cancer dans mon sein droit. Un cancer complètement différent des deux qui vivent dans le gauche. Pis ça, paraît que c'est rare comme de la marde de pape.

Qu'est-ce que tu veux ? Je ne fais jamais rien comme les autres.

On est d'accord : mastectomie complète. Ciao bye, mes seins. Les deux. Je souffle un peu, c'est pas comme si je ne m'y attendais pas.

Puis, grosse courbe à 100 km/h.

— Et mon foie, Dominique?

— Le foie est parfait. Pas de kyste, pas de lésion. C'est juste une petite veine.

J'ai de la veine! Enfin.

— Mais (les crisse de «mais»)... il y a un point sur la vertèbre T-10. Sur la colonne vertébrale, à côté du foie.

C'est là que ça brasse. Le sens-tu? Ça tourne en tous sens, ça monte, ça descend. Tu sais que le monstre en bois va revoler, qu'il va éclater de partout. Tu te retrouves dans les airs, tout seul dans ton wagon, à des kilomètres d'altitude.

Nouvelle résonance magnétique d'urgence. Avant l'opération. Je passe devant tout le monde. Je me résous à avaler mon dernier anxiolytique. Je vais faire les cent pas ce soir, de toute façon.

Tout vire de bord. Si ma colonne est atteinte, on n'opère pas. Si ma colonne est atteinte, je n'ai pas «juste» le cancer des seins. Si ma colonne est atteinte, on s'en va direct en chimio. Ça va vraiment, mais là vraiment plus du tout.

Jamais t'auras vu une fille aussi heureuse de perdre ses deux seins. Jamais. Te dire combien je les ai aimés et célébrés. Ils ont nourri plein d'affaires (...), mais ils ont surtout nourri ma fille, ma féminité et mon intimité. J'apprends depuis une semaine, à grands coups de douleurs innommables, que je vivrai maintenant sans eux. Je pense à toutes les Angie de ce monde et je souris. Elles se sont reconstruites. J'y arriverai aussi. Sans Brad Pitt.

La résonance magnétique de ma colonne? C'était juste des petites veines finalement... Faut croire que j'en ai un peu plus que je le pensais.

MON ÉLASTIQUE

1er mai 2018

Imagine que tu es couché sur le dos, bien calé dans tes oreillers, sous une couette douce et chaude. La pénombre est parfaite, les sons sont sourds. Tu es entre le rêve et la réalité. Le calme est... pas si souverain que ça. T'as envie de faire pipi. C'est ça qui t'a réveillé, maudit. Faut que tu te lèves.

J'avais oublié, pendant mon sommeil.

Durant les deux heures où les antidouleurs ont vraiment fait leur effet, j'avais oublié pourquoi je dormais avec autant d'oreillers. Me servant de mon abdo et demi (j'en ai jamais eu beaucoup), je me suis donné une erre d'aller, puis ma poitrine a éclaté de l'intérieur.

Elle s'est déchirée, tordue, et m'a terrassée. Je suis retombée direct dans mes oreillers, le souffle coupé, les yeux grand ouverts, droite comme une planche. J'ai absorbé, obligée, cette douleur que je n'arrive pas encore à nommer correctement. C'est comme si je mangeais une volée par en dedans. Des clavicules aux premières côtes, en passant par les aisselles et le haut de mes bras, ça tire, déchire, cogne, arrache, oppresse. L'étrange sensation d'avoir constamment vingt livres de béton sur les pectoraux. J'inspire difficilement. Tout le temps.

Perdre ses seins, je te jure, c'est pas une mince affaire...

Pour personne.

23

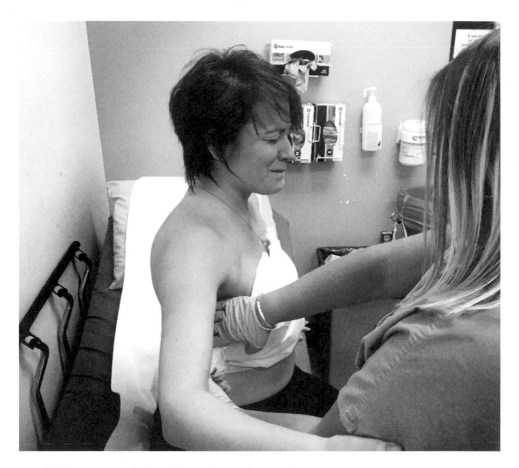

Déjà hyper stressée de voir ce qui se cache sous le pansement, j'ai eu la désagréable surprise de voir que ce n'était pas ma chirurgienne qui allait l'enlever... L'angoisse est montée d'un cran pour s'évanouir rapidement... Je ne sentais rien ! Et cette charmante infirmière a été d'une douceur incomparable.

Outre la peur de mourir, ce qui arrive en premier avec le cancer, c'est le ménage. C'est plus fort que toi. Un peu comme dans les dernières semaines d'une grossesse qui s'éternise, faut que tu frottes! C'est animal, viscéral, et ça se fait même parfois à cœur défendant. Ta vie revole, et ceux qui ne sont pas assez bien attachés prennent le bord.

T'as juste pu d'élastique.

Ceux qui t'aimaient mal ou à moitié, ceux pour qui tu t'obligeais à faire des courbettes, ceux que tu ne pouvais plus sentir, ils sont tous éjectés en même temps. C'est bien fait pareil, parce que quand tu entres dans la douleur, les personnes qui restent sont attachées. À toi. Solidement. Les autres ne passent pas au casting...

Et dans mon casting à moi, il reste juste des « A ». Tu sais, ces personnalités publiques qu'on appelle des « vedettes » et qui ont la première place pour aller vendre leur show à *Tout le monde en parle*? Ben c'est ça. Dans mon cœur à moi, vedette ou pas, elles sont toutes des « A ». Elles font la file comme à La Ronde et se chicanent presque pour embarquer dans mon wagon. J'en ai vingt-quatre comme ça, t'imagines? Vingt-quatre femmes plus belles, brillantes, généreuses et intelligentes les unes que les autres. Te dire comme mon frigo est plein... Imagine mon cœur asteure.

J'arrive à l'hôpital avec une de mes vingt-quatre bonnes fées. C'est aujourd'hui que je ferai la rencontre de mon *chest* nouveau. J'aime les beaujolais.

Ça fait une semaine pile que je suis passée sous le bistouri. Les douleurs sont moins intenses. Ou c'est peut-être moi qui m'habitue? Peu importe, j'ai une meilleure face qu'il y a sept jours, mettons. Et mon moral est bon.

(OK. Honnêtement, j'ai la chienne. J'ai évidemment fouillé le web à la recherche d'autres poitrines « mastectomisées » et j'en ai trouvé plein. Des poitrines de femmes différentes, mais toutes pareilles en même temps. Y'a juste leur histoire qui diffère. Sauf que je n'ai rien vu qui montre les dégâts après une seule semaine de chirurgie, donc j'imagine le pire : un champ de bataille rempli de mines personnelles. Parce qu'à souffrir de même, ça doit pas être joli joli là-dessous...)

La salle d'attente est bondée. D'ordinaire, tout le monde se tourne vers les nouveaux patients qui entrent. C'est un réflexe humain et banal. Mais là, la p'tite nouvelle, c'est moi. Et je suis accompagnée d'une fée actrice pas mal connue aussi... Y'a comme un *follow spot* qui nous suit.

Comme je te l'expliquais plus haut, j'ai pu d'élastique. Je vis dans un *raw* obligé depuis six semaines. *Here, now and real.* Étrange comme l'anglais rentre plus au poste pour décrire le cru.

Il reste quatre chaises libres. On en repère deux et on fonce. À ma droite, une femme dans la soixantaine, toute coquette avec son maquillage léger et ses cheveux bien coiffés. Je la trouve très belle. Elle est accompagnée d'une fille d'à peu près mon âge.

Je suis habituée aux regards, et mon amie aussi, alors on sourit aux gens d'un air entendu. Bonjour, bonjour, léger signe de tête, et chacun retourne à ses moutons. Sauf elles... Elles me fixent la nuque tellement intensément que je me retourne.

Tu sais, ce genre d'expression remplie de joie et d'étonnement ? La télé qui débarque dans le quotidien ? Exit le salon, le pyjama pis les pantoufles, l'actrice est là en vrai ! C'est ce à quoi je m'attends en me tournant vers elles, mais non... Ce n'est pas comme d'habitude.

Elles ont lu mes dernières chroniques. Dans leur regard déjà rempli à ras bord, on peut détecter une touche de tristesse et de compassion. Elles ont la bouche entrouverte, comme frappées par une illumination divine. En tout cas, c'est ce que je perçois, et ça me met vraiment mal à l'aise.

Parce que moi, l'actrice – et surtout la femme –, je suis terriblement stressée par ce qui me pend au bout du nez. Je comprends tout ce qu'elles vivent. Exactement tout. Mais câline... Comment je te dirais ben ça ? En temps normal, j'aurais engagé la conversation gentiment en me présentant, pour dissiper la foudre qui venait de s'abattre sur elles. Mais y'a pu rien de normal dans mon temps, maintenant. Et comme aucun son ne s'échappe de leur bouche, c'est la mienne qui s'ouvre.

Pis je te jure que c'est sorti tout seul. Comme si j'avais appris un texte et que je le jouais pour la millième fois.

— Vous ne pouvez pas me fixer comme ça. Je ne me sens pas bien. Arrêtez, s'il vous plaît. Tout de suite.

— Mais... mais... C'est juste que, moi pis...

— Je sais, je comprends. Mais vous ne pouvez pas fixer les gens comme ça. Je ne sais pas quoi faire avec ça, moi. S'il vous plaît.

Et je me suis retournée vers ma fée. Là, c'est elle qui avait la bouche ouverte et les yeux ronds. J'étais surprise autant qu'elle. Qu'est-ce que tu veux, Gen... Y'a plus rien qui passe. J'ai perdu mes filtres.

Mon élastique est pété.

Une infirmière a appelé mon nom de famille, et je me suis levée comme un *spring*. Avant de faire face à ma musique, je me suis arrêtée devant la dame, qui baissait maintenant les yeux. J'ai mis ma main sur la sienne. Elle m'a offert son beau regard bleu, plus doux que cinq minutes plus tôt. Elle avait l'air gênée. Après un petit silence qui fait du bien, je lui ai dit : « Merci. »

J'ai pleuré de soulagement quand le pansement a été retiré.

Mon champ de bataille est moins pire que dans mon imagination débordante. Bon, c'est loin d'être terminé ; j'ai encore des drains qui sortent sous mes aisselles, des rubans blancs zébrés sur mes cicatrices et un patchwork de couleurs digne d'un combat de douze rounds à mains nues sur ma minuscule poitrine, mais mes chirurgiennes (une pour l'ablation des seins, l'autre pour la reconstruction) sont des magiciennes. La première a évacué les trois cancers qui s'y logeaient, et la seconde, grâce à un don d'organes, a pu me reconstruire avec la matrice d'une personne inconnue.

Je porte maintenant un petit bout de quelqu'un avec moi. C'est beau, c'est grand et c'est infiniment touchant.

As-tu signé ta carte d'assurance maladie pour le don d'organes et de tissus ?

Prochaine étape : chimio. Mine de rien, on avance... Et c'est de moins en moins vertigineux.

PLEURER DANS MA BOUCHE

14 mai 2018

Je me regarde dans le miroir de la salle de bain d'en haut. Je vis dans un condo sur trois étages. Les chambres, mon bureau et la salle de bain principale sont au dernier. Une pièce tout droit sortie des années quatre-vingt avec les robinets en forme de diamant et la tuile de céramique beige pas clair jusqu'à moitié-mur. Tu vois le genre?

Mais c'est une chouette maison avec un beau grand parc comme voisin arrière. Ma cour devient immense grâce à lui. Je peux voir loin. Je l'aime, mon nid. C'est juste qu'ils ont botché la finition, mettons. Les matériaux sont cheaps.

Tout ça pour dire que je me regarde dans le miroir et que... je pleure dans ma bouche. Pour ne pas faire de bruit. Ma fille est devant la télé, au premier. Le son pourrait enterrer mes pleurs, mais si je laisse couler les larmes, ça va partir en sanglots bruyants.

Y'en a qui pleurent dans la pluie, moi, c'est dans ma bouche.

La plupart du temps, ça vient sans que je m'y attende. Depuis l'opération, j'ai le canal ouvert en permanence. Tu sais, le fameux chakra du cœur? On dirait que depuis qu'on m'a libérée de ma poitrine, il ne s'est jamais reformé. Je me déverse sans crier gare comme nos belles rivières au printemps et je n'ai plus de sacs de sable.

Cela dit, note aux psychologues et autres lecteurs bien intentionnés : ma fille m'a déjà vue pleurer. Bien avant le cancer. On ne cache pas nos émotions chez nous. Elle pleure, je pleure, nous pleurons. C'est juste que parfois, j'ai besoin d'être toute seule, de courber l'échine, de me prendre dans mes bras et de geindre un peu sur mon triste sort.

J'ai lu que ça fait partie du cheminement quand tu as le cancer... Laisse-moi te dire que pour cheminer, je chemine !

Je t'ai quitté il y a trois semaines, soulagée de voir ce qui se cachait sous le bandage postopératoire. Depuis, j'ai retrouvé ma plasticienne deux fois, mes drains ont été enlevés, et j'ai apprivoisé mon *chest* douloureux. J'ai arrêté les opiacés rapidement, je devenais déprimée.

Ma mère dit que j'ai sorti mes cornes de bélier. J'ai une tête de cochon depuis toujours, mais entre toi et moi, ça fait mal en chien ! En plus de mes deux seins, on a enlevé la chaîne ganglionnaire dans mon bras gauche. Sur 22 ganglions prélevés, 13 étaient atteints... Le crabe avait rapidement fait des p'tits. Ma mobilité est donc pas mal réduite. Pour l'instant, impossible de soulever du poids, conduire mon auto ou serrer mon enfant dans mes bras. Et jusqu'à hier, je ne pouvais pas me laver toute seule.

Je suis une fille indépendante. Retrouver ma douche sans avoir à appeler une de mes fées m'a remonté le moral. Ça tombe bien, il commençait à être pas mal *back order* dans ma dépense. Te dire comme j'ai pensé à tous les bénéficiaires en CHSLD et à leur manque de soins de base... L'autonomie et la dignité sont intimement liées. La confiance et le lâcher-prise aussi.

Tsé, quand je te dis que je chemine ?

Cette semaine, je suis passée par la pesée (j'ai perdu 14 livres – à NE PAS essayer à la maison) et les prises de sang. Mon oncologue, J-A, est belle comme le soleil. Sa peau est mate et colorée, son grain serré comme de la soie.

Elle m'a donné son *go* pour la chimio, ce vendredi 11 mai. Un mois jour pour jour après la chirurgie. Une chimio « dense » parce que je suis « jeune et en forme ». C'est la troisième fois qu'elle me le dit. Je vais commencer à la croire.

J'ai aussi eu droit à un cours au sujet du jus qui sera injecté dans mes veines ; sur les choses à faire et à ne pas faire, à avaler ou pas. Dans cette heure de Chimio 101, j'ai rencontré un homme. Un octogénaire à la voix de Monsieur Latreille (le personnage de Réal Béland), un beau pince-sans-rire jovial qui habite à Laval et pour qui se rendre à Sacré-Cœur au petit matin est un véritable cauchemar.

Chaque fois qu'il prenait la parole, j'avais envie d'applaudir ! On s'est regardés à deux reprises, on s'est souri, et je suis un peu tombée en amour. Sa femme, élégante et discrète, était avec lui, le sourire fendu jusqu'aux oreilles. Moi, un homme qui fait rire sa douce... Les genoux me lâchent.

J'espère qu'on pourra se croiser pendant nos traitements. J'ai envie de mieux le connaître et de te le présenter.

Caché par le cadre gauche de la photo, mon M. Latreille. Mon sourire dit tout !

On attendait mon rendez-vous avec la pharmacienne en oncologie. Je montrais à ma fée accompagnatrice du jour des photos de mon week-end quand une dame est passée devant nous. Elle nous a dépassées de trois mètres, s'est arrêtée et est revenue sur ses pas. Shit. Je sentais dans mon chakra trop ouvert que ça risquait de faire mal. Pour elle ou pour moi.

Une grande brune, la soixantaine, je dirais, bien ancrée dans ses bruyants talons carrés. En s'approchant, elle m'a lancé un « HEY ! » très sonore et, sans que je puisse fuir ou me protéger, elle m'a sacré deux grosses claques sur l'omoplate gauche. Des claques dignes d'Hugo Girard, je te jure ! Elle a ensuite repris sa route avec un « Lâche pas ! » bien senti. Mon bras engourdi s'est réveillé en me pinçant par en dedans... Te dire les élancements ! J'ai comme une corde de guitare qui part de mon aisselle et qui se rend jusqu'à mon poignet. Pis elle est désaccordée grave. Je sais que l'intention était bonne et je connais la maladresse, mais de grâce, madame ! Il y a toujours la manière...

Il y a des gens très fonctionnels chez qui les matériaux sont un peu bruts. Ça manque de finition. Comme dans ma salle de bain.

Doc Dom a mis son *stamp* dans mon passeport d'oncologie. Le dernier dont j'avais besoin. Ça y est. J'embarque dans le train et j'ai ton billet dans ma main. Viens-tu ?

Après « l'attaque aux claques », mon bras
gauche ne descend plus…

Mon p'tit Monocle.

LA MACHINE À L'ENVERS

23 mai 2018

J'ai pensé à ça, l'autre nuit, entre deux insomnies : j'ai envie de te faire entendre une chanson pendant que tu lis. Sélectionne *Rien à faire* de Marie-Pierre Arthur sur ton site préféré, puis mets tes écouteurs. Je t'attends.

On va se dire les vraies affaires : la chimio, c'est différent pour chacun. J'ai mon p'tit Monocle (pas de faute ici, je l'appelle comme ça depuis toujours) qui vient de souffler ses 80 bougies et qui fait de la chimio, lui aussi. Pour les poumons. Je l'aime énormément. Il a commencé ses traitements avant moi et m'a rassurée d'un : « Inquiète-toi pas, la p'tite. Y'a rien là, je pète le feu! »

Ça fait que je suis partie vers l'hôpital au petit matin, le *chest* bombé, prête et confiante, en me disant que chez les Lemay, on est faits forts. Si Monocle pète le feu...

Sur le coup, j'ai été étourdie. Je pensais que c'était le stress qui me faisait tourner la tête, vu que je n'étais pas encore mise sous tension, mais non. C'était la mégapilule antivomi à gober avant le jus rouge, jus qui allait bientôt envahir mon corps.

J'ai passé l'heure et demie d'injection dans un état second à faire des quiz niaiseux de personnalités sur la tablette de ma bonne fée et à regarder les chaises se remplir de femmes venues, comme moi, faire un gros *fuck you* au cancer. Oui, ce matin-là, dans ma salle, il n'y avait que des femmes. Pas de Monsieur Latreille en vue.

Arrivée chez moi, j'ai pris le bord de mon lit, et ma bonne fée, le bord de la pharmacie. Parce que c'est ça, la chimio : on te donne du gros jus à l'hôpital, mais tu as besoin d'une panoplie de pilules et autres injections pour aider ton corps à gérer ledit jus à la maison.

Je pense que je suis faite en sucre.

Je ne pète pas le feu pantoute, Monocle. Quand j'ai ouvert les yeux après ma première sieste, mon lit bougeait comme un bateau en pleine tempête pendant que, moi, je m'enfonçais dans mes innombrables oreillers. Tu sais, rentrer dans son matelas et VOIR ses oreillers à plusieurs pieds au-dessus de soi ? Ben c'est ça. Un *bad trip* digne du film *Trainspotting*. Quand j'ai réussi à m'extraire de là, j'ai retrouvé ma fée qui m'attendait en bas, pleine de sollicitude, la soupe sur le rond et le regard rempli de bon bouillon. J'ai réussi à manger et je suis retournée me coucher. J'ai fait ça toute la journée. Dormir trois-quatre heures, me lever deux heures. Pendant ce temps-là, mes fées changeaient de *shift*. Je ne voulais pas passer la première nuit toute seule.

Jour 1 après la chimio. Je vais un peu mieux, mais je suis encore sonnée. Je prends mon antivomi, de la cortisone pour fouetter mon corps et je commence les injections qui vont permettre à mes globules blancs de se refaire une santé en prévision de la prochaine séance. Je ne peux pas croire qu'on prépare déjà la suivante…

Jour 2. Même manège. Antivomi, cortisone, injection. Je regarde attentivement ma fée qui s'active sur la seringue, parce que demain je serai toute seule. Je devrai me piquer moi-même ou aller au CLSC. Et comme tu sais que j'ai une tête de cochon…

Jour 3. Antivomi. Injection. Facile. Je suis fière de moi, mais molle comme une guenille. Je passe ma journée à dormir. Sans la cortisone, mon corps s'effoire. Sans la cortisone, je dors, dors, dors…

J'ai pris le temps
De bien regarder
Tout l'engrenage
Éparpillé

J'ai essayé
Au mieux de renverser
Les vieux rouages
Du bon côté

C'est dans cette éternelle nuit du troisième jour que Marie-Pierre s'est frayé un chemin jusqu'à moi. C'est ça. Exactement ça : y'a rien à faire d'autre que de remonter ma machine entière à l'envers. La chimio me jette à terre, oui. Elle va me sacrer à terre aux deux semaines parce que je suis jeune et en forme, tu te souviens ? J'ai droit aux « doses denses » pour éviter autant que possible une récidive. Mais ma machine, elle va rouler, fie-toi sur moi. À l'endroit ou à l'envers, elle va rouler. Pis sur un moyen temps.

Jour 4. Je tourne en rond. Une petite sieste de deux heures. Juste un antivomi. Injection bébé-fafa. Encore un tantinet sonnée, mais rien de comparable à ce que je viens de traverser. Je tourne en rond. J'attends des fées, un magicien, ma fille et son père. Les deux derniers arrivent en premier. On est en famille, je me détends un peu. Puis, la fée du jour débarque avec du melon d'eau, son *clipper*, son amour et ses ciseaux.

Aujourd'hui est un grand jour ! Aujourd'hui, on rase mes cheveux. Pas bon pour le moral de les laisser tomber en touffes disparates, il paraît. Alors je prends les devants et je prends même un verre de blanc.

Trois autres fées suivent, les bras chargés de victuailles, le cœur débordant de *love* et le cellulaire à l'assaut pour les photos. C'est festif et heureux. Ma fille papillonne autour de moi, et ses petites arabesques font frissonner mon crâne mis à nu. Les courants d'air me font le même effet que les caresses d'un amant trop attendu.

Le jour où on a rasé mes cheveux avant qu'ils ne tombent,
j'ai demandé à ma fée coiffeuse, Johanne Paiement, d'y aller
doucement et de me faire un mohawk avant de tout raser.

Ma fille et moi. Ce « nous » si précieux.
Un moment de grande douceur.

Le magicien arrive en dernier. C'est mon cadeau. Il m'offre des cheveux de toutes les longueurs et de toutes les couleurs. J'ai décidé de m'amuser, tant qu'à. Merci, L'Échevelée.

Je prends du mieux. Je vais aller marcher tous les jours avec une tête différente et du Marie-Pierre Arthur dans les oreilles jusqu'au prochain traitement.

Ça sent le printemps. Prends ma main, qu'on marche par en avant.

SANG
BON SANG

8 juin 2018

Ça sent l'été. C'est chaud, humide et un brin étouffant. Sauf qu'on ne va pas chialer, hein? On a assez gelé, cet hiver... Dans les derniers jours, tu as sûrement pris un verre sur une terrasse, fait un BBQ entre amis, ouvert une bouteille dans un parc. Le rosé se boit sans soif, je suis sûre.

Les enfants crient sous la fenêtre de ma chambre. Je ne bois pas de rosé, mon BBQ est fermé, et je ne sors même pas sur ma terrasse. Je suis de retour dans mon éternelle nuit du troisième jour. Y'a pas de musique qui me vient à l'esprit, cette fois-ci. Juste deux mots : « Liche-toé. »

Il y a quelques semaines, je t'ai parlé d'une de mes tantes, tu te souviens? Elle s'appelait Pauline et elle était la benjamine de ma famille maternelle. Quand on traversait un malheur et qu'on ne savait pas comment faire pour le régler, Pauline disait tout l'temps ça : liche-toé. Ça peut paraître bête de même, mais je te jure qu'à ses funérailles, chacune des personnes qui ont pris la parole pour lui rendre hommage a cité cette phrase célèbre. Et chaque fois, l'assistance a ri, pleuré et acquiescé.

Au fond, ce qu'elle disait, Pauline, c'est : roule-toi en p'tite boule comme un animal, lèche tes blessures et essaie de comprendre ce qui t'a mené là. Tu te relèveras.

Ouin... Mais là, ma tante, le problème, c'est que je ne plie pas. De la taille au cou, ça ne plie plus. Je dors sur le dos depuis deux mois. Quand j'ai mal au cœur post-chimio, je ne peux pas me rouler en boule autour du bol de toilette frette en attendant que la pilule antivomi fasse son effet. Je suis raide comme une barre.

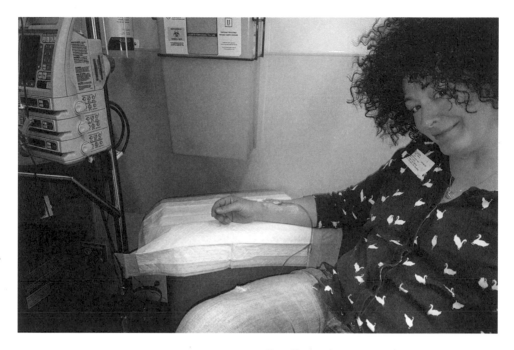

Deuxième mise sous tension.
Il ne m'en restera que six !

Une mastectomie bilatérale avec évidement axillaire, ça ne guérit pas du jour au lendemain. Pour bien comprendre la chose, visualise ta poitrine, tes bras, tes aisselles et tes omoplates en un seul bloc. Imagine que ton dentiste te gèle tout ça comme pour un traitement de canal de quatre heures. Tu sais, quand tu touches ta joue après l'intervention ? Ben c'est ça. Mon bloc à moi, il est gelé de même. Depuis le 11 avril. Fait que je ne plie plus.

Ça va passer, je le sais. Ça prend du temps pis ça adonne que j'en ai tout plein par les temps qui courent. Mais en attendant, la chimio est juste plus *tough* su'l *body*.

•

Avant la chimio, tu passes par la prise de sang. Faut que ton organisme ait retrouvé une certaine vigueur pour recevoir une nouvelle dose de nettoyant à cellules.

J'ai toujours eu confiance en mon corps. Il fonctionne bien. Bon, j'ai eu le cancer, tu me diras. T'as raison, j'en ai même eu trois d'un coup. Mais avant ça, en 47 ans, je n'avais jamais eu de problèmes à part une péritonite. Alors quand je me pointe à l'hôpital, la veille de ma deuxième séance de chimiothérapie, je suis confiante.

Je veux manger ma volée. Je veux mal filer. Parce que c'est la seule façon que j'ai d'avancer. Demain, je veux pouvoir me dire : y'en reste juste six ! Mais ce n'est pas moi qui décide, c'est mon sang. En fait, je ne décide plus de grand-chose, je te dirais.

J'accepte. Je prends, j'apprends et je respire. En tout cas, j'essaie.

Je pourrais chialer, maudire, tempêter, gronder sourdement ou exploser comme un volcan. Je sens tout ça en moi, par moments. Mais comme la vie est bien faite, quand ça bouillonne, y'a une porte qui s'ouvre sur quelqu'un, et mon cœur dévie de sa coulée de lave.

Ce matin-là, la porte s'ouvre sur Pedro. On est les deux seuls patients (dont une impatiente – moi) dans l'aile d'oncologie. Il est 7 h. Il passe en premier à la prise de sang, puis c'est mon tour. Un homme sans âge, droit, fier, bien vêtu, les cheveux et les yeux foncés. Il me fait penser à mon papa. Je vois dans son regard ce que j'aime par-dessus tout : un amusement. Une pointe de dérision heureuse. Dans cet univers (in)hospitalier, je les spotte rapidement, ceux qui ont ça dans l'œil.

Le fatalisme ne fait pas partie de cet homme. J'aime ça. Je suis allergique aux victimes. Ça me prend de la colonne, de l'humour et de l'abnégation. Facile de même ! Il avise mon afro comme un gentleman, et on se présente. Il est médecin. Il vient de Rio de Janeiro, mais le Québec est son pays depuis longtemps. Ça a commencé par le poumon il y a quelques années. C'est maintenant généralisé. Il se rend à l'hôpital chaque jour que le Bon Dieu amène. C'est normal, il est docteur ! De la répartie, en plus.

Il ne s'en sortira pas vivant.

Mais avant de passer à la « médecine du ciel », comme il dit, il offre son corps à ses camarades. Ils essaient des « choses ». Ses médecins et lui testent de nouveaux traitements. « Si ça peut aider... »

Quand on se compare, on se console. Et on fait de fichues de belles rencontres.

⸱

Après la pluie, le beau temps. Ou comme ici, inversement : il fait froid, il vente, il pleut. Après la canicule post-chimio, je revis en cette journée grise.

J'ai finalement eu mon traitement avec trois jours de retard. Il manquait neuf plaquettes dans mon sang. Ça m'a permis de retrouver mon chalet. Je n'y avais pas mis les pieds depuis la semaine de relâche, ce fameux samedi où mon cœur s'est emballé. Où ma vie et son sens ont viré bout pour bout.

J'ai braillé à grands sanglots quand j'y suis entrée. Braillé cette vie qui ne sera plus jamais la même (et c'est tant mieux). Braillé aussi de voir tout l'amour dans ce lieu. Une fée est passée pendant mon absence pour y mettre de la lumière en pot et redécorer ma chambre. Tsé quand on dit « bien entourée » ?

J'ai mangé du steak trop cuit et des épinards, regardé des films et jasé avec ma voisine. Ça m'a fait du bien. J'ai dormi comme un bébé. Je me suis fait 30 plaquettes en trois jours ! Mon sang et moi, on avait juste besoin d'un peu de temps.

Je me suis fait masser ce matin. Et devine quoi ? J'ai senti mon omoplate gauche ! Depuis, mon bras pétille, signe que la circulation reprend tranquillement. J'ai retrouvé ma liberté : je conduis mon auto comme une grande. Mes bras lèvent à environ 90 degrés, et mes cheveux sont disparus. Je ressemble à Howie Mandel, notre nouveau Monsieur Just for Laugh.

Je verserai toujours dans l'humour.

Mais avec une p'tite *twist*.

Pas juste pour rire.

En ce début juin, mon coco est maintenant bien lisse, mais j'ai toujours mes cils et mes sourcils. Trois tées sont venues me faire manger du homard des îles de la Madeleine. Mon préféré !

Cette devanture d'immeuble...
Tout y est : mon nom de famille,
le dessin et le mot « phénix ».
Il n'en fallait pas plus. C'était moi.

METAMORPHOSIS

28 juin 2018

Je pousse de toutes mes forces sur une structure de métal, les yeux fermés, toutes veines dehors, le corps penché par en avant. Je laisse même échapper des cris dignes d'un superhéros ou d'un *sensei* aguerri. J'entrouvre les yeux vers mon but : il me reste quoi, trois mètres ? Envoye, Lemay ! Pousse. Pousse, câlisse !

C'était en février dernier. Je m'étais inscrite à L'Écurie, un centre d'entraînement pour lequel je n'avais eu que de bons échos. Mon choix s'était arrêté à un titre sur leur site web : « Métamorphose ». Je n'ai jamais été « style gym ». J'haïs ça, pousser de la fonte en me regardant dans un miroir. Mais à L'Écurie, c'est pas pareil. À L'Écurie, il y a des parcours de groupe bigarrés avec des stations différentes à chaque cours. C'est vraiment l'fun. C'est dur, mais l'fun. J'ai jamais tripé sur le gratis. C'est comme pour ma job : j'aime ça, passer des auditions. La préparation, la rencontre avec l'autre et, ultimement, le sentiment d'avoir gagné mon rôle. C'est franchement satisfaisant.

Bref, j'aime ça travailler pour obtenir des résultats. Ça me rend de bonne humeur. Donc, à L'Écurie, si je m'y attèle adéquatement, en six semaines, je peux espérer atteindre les buts que je me suis fixés avec mon entraîneur. Je veux perdre dix à douze livres, me faire du muscle et du tonus. Je change ma façon de m'alimenter (lire ici : je mange plus lentement) et je vais à mon nouveau gym trois fois par semaine. Plus ma piscine le lundi. Je suis en feu et, au bout d'un mois, je vois déjà des résultats probants ! À l'aube de mes 47 ans, la métamorphose souhaitée est du domaine du possible.

Elle s'est arrêtée brutalement début mars avec le diagnostic du cancer. J'ai dit à mon entraîneur que je reviendrais dans un an. Mais j'ai gardé le plaisir de manger plus lentement.

Derrière une planche de *plywood*, entre le *screen* de la véranda et la gouttière, Monocle me montre le trésor que Miche (sa douce) et lui ont découvert la semaine passée. Un tout petit nid. Dedans, deux oisillons nus comme des vers, la gueule en l'air, attendent la becquée. Entre eux, un œuf tout bleu. Celui-là, il n'a jamais éclos. Toute la vulnérabilité et la fatalité du monde se trouvent sous mes yeux. À l'extérieur de la véranda, sur une souche, les parents inquiets me regardent d'un œil mauvais, le ver au bec. Je pense qu'ils ne voient pas le moustiquaire qui nous sépare. Tout est une question de perspective. Je replace le *plywood* doucement et retourne à table.

C'est la fête de ma sœur et, en ce jour 6 après chimio, j'ai poussé ma *luck* jusqu'en Estrie, histoire de célébrer un peu ma frangine et visiter mon p'tit Monocle (à qui on a refusé sa troisième chimio par manque de globules blancs).

Le jus rouge me fait vraiment mal filer. Cette sensation, tout le temps, d'avoir festoyé avec Obélix dans un jardin psychédélique. Chaque patient réagit différemment, ça a l'air. Mais pour moi, c'est comparable au film *The Hangover*, fois mille, sans Zach Galifianakis (le plus drôle de la gang), en plus du désagréable feeling de « sécher » debout. Dans tous les sens que ça peut avoir. Je prends des bains à l'huile de coco, je me crème de la tête aux pieds et je bois de l'eau tel un chameau avant le grand désert, mais rien n'y fait. Ma peau craque, le temps prend son temps et, moi, je perds mes plumes. Littéralement.

Bon, tu sais que mes cheveux sont tombés. Et sincèrement, je dois te dire qu'on s'y habitue quand même assez vite. Je sors rarement sans perruque (mon afro est devenu ma signature), mais à la maison, je suis nue. Comme les oisillons. Et presque aussi vulnérable qu'eux. Tous les poils de mon corps sont disparus, sauf les 17 disgracieux sur mes genoux. Ma sœur s'est fait une joie de les raser. En fait, je suis plus nue qu'au jour de ma naissance (je suis venue au monde avec un mohawk de cheveux noirs digne du film *Le dernier des Mohicans*). Même ma fille de onze ans a plus de poils que moi, c'est tout dire…

On laisse la mère oiseau nourrir ses petiots et on jase tranquillement, assis dans la véranda. Je me flatte le bras gauche. Tu sais, celui qui fait mal ? J'ai commencé des séances de drainage lymphatique avec un pro de la chose pour réactiver le flux dans ce membre si mal en point. Les sessions se passent tout en douceur (la partie drainage) pour se terminer en film d'horreur. C'est que j'ai du cordon là-dedans, mon ami ! C'est raide comme du filage à haute tension en acier galvanisé. Et ce qu'on doit arriver à faire, c'est ramener ma lymphe à bien circuler et briser lesdits cordons. Te dire la douleur... C'est comme si on tentait de m'arracher le bras à partir de l'aisselle et que je me laissais faire en essayant de respirer comme une yogi. Pas évident. Mettons qu'il y a beaucoup de saints noms qui sortent de ma bouche, mais au final, ça me fait du bien. Rien de gratis, comme je te disais.

Donc je me flatte comme Michel (le pro) me l'a montré. Je réactive doucement les fluides de mon bras, à grands coups de caresses tendres, quand soudain... Ça roule. Sous mes doigts, dans ma main, des bouts de mon épiderme roulent et tombent par terre. Comme de la crasse, mais ça n'en est pas ! C'est vraiment ma peau qui roule ! Je mue. De partout ! Ma fille et ma sœur s'en donnent à cœur joie, et j'ai finalement un tapis de peau morte sous les pieds digne du plus grand marathon de gratteux de toute l'histoire de Loto-Québec. En ce beau samedi après-midi, j'ai quitté ma vieille peau pour une neuve.

Je suis douce à nouveau et je lorgne vers le petit nid, attendrie.

Je suis un homard-serpent.

Attends que je t'explique. Selon Wikipédia (c'est fiable, OK ?), « après avoir atteint la maturité sexuelle (je pense que je suis rendue là), le homard, comme la plupart des crustacés, continue de muer régulièrement. Il brise sa carapace devenue trop étroite pour s'en faire une plus vaste et continuer à grandir. Le serpent en fait tout autant, mais laisse derrière lui sa peau, entière ou en lambeaux. Durant cette période, le reptile et le crustacé sont au moment le plus vulnérable de leur vie. »

Je la vis quand même, ma métamorphose. Mais différemment.

Une fée m'a présenté une faiseuse de miracles. Une sorcière blanche qui concocte des petits pots de potion bonne pour l'épiderme. De la douceur pure au cœur de ce périple obligé.

Elle soigne ma peau de cancéreuse comme une maman soigne les fesses rougies de son bébé. Elle l'étudie, la lave et la masse avec ses huiles, ses crèmes et sa science. Elle traite mes cicatrices comme si elles étaient des perles qu'elle veut transformer en minces fils d'or grâce à une lumière qu'elle a mise au point et qu'elle a nommée Max. Elle prend soin d'immenses personnalités internationales, mais elle fait une place de choix aux personnes atteintes du cancer sous toutes ses formes. Elle a fait de l'onco-esthétique sa spécialité. Elle donne des formations à travers le monde pour enseigner cet art à d'autres femmes, question de redonner un peu de beauté et de santé à cette peau si malmenée par la chimio. Ça me jette à terre. La première fois que je l'ai rencontrée, j'ai pleuré. Je sais, je pleure souvent, mais les bons sentiments m'ont toujours fait cet effet-là. Avec ou sans cancer. La générosité et la bienveillance me chavirent et me font croire en l'humanité.

Pour une rare fois, j'accepte la gratuité avec humilité. Parce qu'elle vient du cœur d'une femme plus grande que nature. Merci, Jennifer. Je trouverai bien une façon de redonner. Promesse de phénix.

Ma « faiseuse » de miracles dans son antre magique. Te dire comment je l'aime !

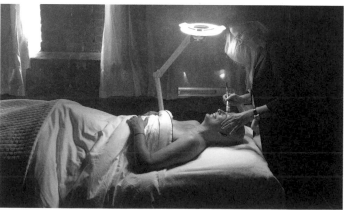

TROIS FOIS LA MESURE DE L'AMOUR

16 juillet 2018

C'est la canicule. J'ai reçu mon dernier jus rouge il y a cinq jours, c'est la première fois que je sors de ma maison climatisée. J'ai encore le cœur au bord des lèvres, mais je suis plus forte que la veille. J'ai rendez-vous avec ma nouvelle doc, une radio-oncologue. Elle s'ajoute à la trâlée de belles femmes qui prennent soin de moi depuis le début de cette... aventure. On va dire ça de même.

La semaine prochaine, je vais expérimenter le nouveau jus, celui qui va conclure la *run* de chimio. Plus que quatre traitements. Je suis à mi-chemin! *Timing* idéal pour en apprendre un peu plus sur ce qui m'attend à l'automne. Ça me fait du bien de me projeter dans l'avenir. Depuis trois mois, je suis dans l'instant plus que présent et, quoique ça puisse paraître très zen, je te jure que ça peut parfois être lourd.

Je laisse mon bolide où il ne faut pas (comme d'habitude), sur les quatre *flashers*, dans un des stationnements de la Cité-de-la-Santé. J'y vais au pif, je n'ai jamais mis les pieds ici. Comme il y a beaucoup de nouveau dans ma vie depuis le mois de mars, j'ai appris à me laisser guider par mon instinct. Je monte les escaliers extérieurs et, devant moi, à travers les vapeurs de chaleur qui s'échappent du béton, un couple s'avance dans un halo multicolore d'eau évaporée. Lui, plus grand qu'elle, costaud et droit. Elle, toute menue, avec sur la tête LE foulard qui dit tout. Mon pif a eu raison, c'est l'aile d'oncologie.

Te dire cette rencontre... Je leur ai demandé mon chemin et j'ai eu droit à leur histoire. Ils étaient si doux, si beaux, si soudés. L'amour et l'admiration dans son regard à lui pendant qu'elle se racontait. L'amour et l'humilité dans ses gestes à elle quand il me disait la force de sa femme. Je les aurais écoutés tout l'après-midi sur le béton brûlant, tellement ça respirait l'amour profond. Je suis une *lover*. J'aime les gens qui s'aiment. Tellement que j'en ai oublié mes nausées. Je leur ai laissé des petits bonbons à la menthe qui font du bien quand tout goûte le métal, cadeau d'une de mes fées.

Si c'est vrai que la maladie mesure l'amour, il s'écrit ici avec la grandeur des amours infinies.

Francine et Jean, avant le cancer. Ils sont aussi beaux maintenant, je te le jure.

Quand tu t'assois dans les gros fauteuils bleus de chimio, tu entres dans un autre univers. Comme si tu devenais, rendue là, une fusion entre Wonder Woman et Alice au pays des merveilles. Parce qu'avant de pouvoir poser tes fesses là, tu as traversé le dernier traitement, les effets secondaires, les injections, la prise de sang, l'attente des résultats, le report ou l'heure de la prochaine séance. Quand tu poses tes fesses là, tu es forte et vulnérable à la fois. C'est un beau mélange, je trouve. Ça t'ouvre aux autres qui se sont rendus jusque-là eux aussi, cette journée-là, dans cette salle-là. Il y a cette communion improbable dans la tourmente. Le même bateau dans la tempête. Comme un catamaran dans l'Sud avec des inconnus. C'est juste moins festif. Juste plus vrai.

Visualise des yeux doux, une bouche ourlée et un nez fin, dans un beau visage. Je ne verrai probablement jamais sa chevelure, mais je l'imagine flamboyante. Ce qui frappe en premier, c'est le velours de son regard. Comme un apaisement. On s'est croisées à une prise de sang et on a abouti sur un banc à l'extérieur de l'hôpital. Elle termine ses traitements demain. C'est le moment ou jamais de la connaître un peu. Elle m'intrigue.

« Si y'avait juste le cancer, ce serait pas si pire... »

Silence. Ses yeux se sont baissés. Ce que j'avais pris pour de la douceur était en fait de la douleur. Son amoureux l'a quittée cinq jours après le diagnostic. L'annonce du cancer lui a fait prendre conscience qu'il avait envie de vivre « autre chose ». Maintenant. Avec d'autres gens. Voyager, être libre d'attaches. Ça fait plusieurs mois qu'il se questionne sans arriver à lui en parler parce qu'ils sont bien ensemble (quand même), mais là, il ne peut pas être celui qu'elle voudrait qu'il soit.

Il est déjà ailleurs.

Elle n'a rien vu venir.

C'est vraiment un mauvais *timing*, il en est conscient, mais son besoin à lui est plus grand que le crabe qui la ronge, elle.

Après le choc du cancer, l'abandon est dévastateur.

Elle ne pleure pas, elle se déverse. Je la prends dans mes bras. Elle a une odeur de sucre en poudre.

Les blessures d'âme sont pires que celles du corps. Parce qu'il n'y a que le temps qui peut soigner un cœur. Et quand t'es malade, le temps s'étire longtemps...

Si la maladie mesure l'amour, il s'écrit ici au Je, Me, Moi.

Bertrand aimait Jeanine. Jeanine aimait Bertrand. Au début des années 1980, ils avaient la jeune quarantaine, trois beaux enfants, et envisageaient leur Liberté 55 avec ravissement.

Un matin, Jeanine a trouvé une bosse dans son sein. Opération, chimio, radio. On est au début des années quatre-vingt, n'oublie pas. Le médecin, un ami de la famille, a dit en secret à Bertrand qu'il pourrait traiter Jeanine environ cinq ans. Pas plus. Peut-être un peu moins. Bertrand a pris ces cinq années-là pour ce qu'elles étaient : le temps qu'il reste.

Ils en ont profité autant qu'ils ont pu. Ils se sont aimés. Jusqu'à la dernière goutte.

Jeanine est partie après quatre ans et demi. Bertrand a maintenant 82 ans. Il a connu deux autres femmes, mais ça n'a pas marché. Quand il parle de Jeanine, j'ai l'impression d'entendre le déferlement cristallin d'une eau de source.

Si la maladie mesure l'amour, il s'écrit ici avec le charme et la nostalgie du passé.

Demain, on me branche sur la deuxième partie de mes traitements de chimio. Je suis prête. J'ai fait ça comme une championne, mes plaquettes se sont toutes refaites en deux semaines, top chrono! Pas peu fière, la fille.

Quand j'ai rencontré la pharmacienne en oncologie (une autre belle femme qui dit des mots qui valent un million avec l'aisance de Guy Nadon en Cyrano), je suis un peu tombée en bas de ma chaise. Ma prochaine chimio est faite de produits naturels... Le paclitaxel est initialement extrait des aiguilles de l'if de l'Ouest, un conifère. Il est mixé au cremophor qui, lui – attache ta tuque –, est un mélange d'huile de ricin et d'oxyde d'éthylène. Des épines d'arbre et de l'huile de ricin... Ça résonne l'enfance et les remèdes de ma grand-mère.

Ça me donne envie d'être naïve et un brin « Jean-Marc Chaput ». Me semble que ça va passer plus facilement que le jus rouge. Me semble que j'ai déjà moins mal au cœur ! Bon, je vais perdre mes cils et mes sourcils, le bout de mes doigts et de mes orteils va devenir engourdi et je vais peut-être avoir mal au corps, mais (parce qu'il y en a toujours)... j'ai le feeling que ça va aller mieux. On gage-tu ?

GRANDIR,
ÇA FAIT MAL

1er août 2018

1983. Je suis assise par terre dans la cuisine, accotée au calorifère qui chauffe. Mes parents ont acheté un bungalow à Victoriaville à la fin de l'année scolaire, fait qu'on s'est déménagés pour la deuxième fois en deux ans. Mais bon, c'est pas ce qui me tient debout en pleine nuit. Il est 2 h du matin, j'ai 12 ans, c'est l'hiver, pis j'ai mal aux jambes. La seule façon que je trouve pour me réchauffer sans réveiller tout le monde, c'est le calorifère. Je sais pas si tu as déjà eu ça, mal aux jambes de grandir, mais ça te donne des frissons. Ça élance, et t'as juste envie de te bercer d'avant en arrière. C'est comme si tes fémurs, tes hanches et tes tibias voulaient allonger de deux pouces en une nuit sans ton consentement.

Je suis certaine de ne pas faire de bruit et pourtant, dans la pénombre du corridor menant aux chambres, mon père sort de la sienne en enfilant son cadeau de fête des Pères : un peignoir de velours vert et bleu. Il s'arrête à la salle de bain et revient vers moi en s'allumant une cigarette. Dans ses yeux, du haut de ses 37 ans (Dieu qu'il était jeune, mon Daddy!), de l'inquiétude et beaucoup, beaucoup d'amour. Dans sa main, une bouteille d'alcool à friction. La clope au bec, un œil fermé à cause de la fumée, il débouche la bouteille.

— T'as mal aux jambes, Nini?

Je fais un petit signe de oui avec ma tête en me pinçant les lèvres parce que si j'ouvre la bouche, mes yeux ne pourront plus retenir les gouttes qui menacent d'en sortir. J'ai toujours voulu être forte devant le premier homme de ma vie.

— C'est de ma faute, ça. Ta mère a jamais eu mal aux jambes, elle peut pas comprendre...

Il a passé une bonne demi-heure à me frictionner des pieds aux hanches, donnant à ses larges mains d'homme les mouvements d'une grosse vague constante. En silence. Mes larmes ont coulé juste un petit peu. Je ne sais pas ce qui m'a fait le plus de bien : l'alcool à friction, le massage ou l'amour de mon papa assis avec moi, en plein milieu de la nuit, par terre dans la cuisine. Il est venu me border, je me suis endormie comme un bébé et j'ai grandi dans mon sommeil.

2018. Il est 3 h du matin. Ma conscience s'éveille et, les yeux toujours fermés, je sens une envie d'aller aux toilettes. Paresseuse en ce jour 3 de chimio, je ne veux qu'une chose : rester là et me rendormir. Ma vessie peut attendre. Couchée sur le dos (comme toujours depuis quatre mois), j'essaie de me tourner sur le côté droit qui, une fois sur deux, décide qu'il le veut bien. Ce faisant, j'ai une explosion de douleur dans tout le verso de mon corps, du cou aux mollets. J'absorbe, retiens mon souffle et me dis que c'est finalement ma vessie qui aura le dernier mot. L'éclair passé, je me lève.

Mon corps me lâche. Complètement. Il hurle de douleur. De partout. Debout à côté de mon lit, penchée par en avant, j'arrête tout mouvement. Qu'est-ce qui m'arrive ? C'est comme si quelque chose avait pris possession de chaque partie de mon anatomie. Je titube, claudique, *name it*, jusqu'à la toilette, par à-coups, le dos voûté, le visage contorsionné comme dans les nouveaux cours de yoga facial, mais en accéléré.

Je m'assois à la table de la cuisine sans faire de bruit. Ma fille dort au deuxième. Je me berce d'avant en arrière, j'ai des frissons, la clim marche à fond, c'est l'été. J'ai à nouveau 12 ans et je grandis douloureusement, fois mille. Mon papa ne viendra pas me frictionner dans sa robe de chambre de velours. Je sens quand même l'odeur du tabac et ses yeux doux sur moi. Les beaux souvenirs font ça, parfois.

Je suis restée assise là trois heures, hébétée. Les douleurs ont persisté trois jours. Je n'ai plus mal au cœur, mais j'ai mal au corps en sacrament. La fameuse nuit du troisième jour... Jus rouge ou jus blanc, ils fessent au même moment. Lequel je préfère, tu me demanderas ? Le blanc. Parce qu'il a beau me faire souffrir très fort dans mon corps, il est moins insidieux que le rouge. Je n'ai pas l'impression de perdre la tête et de m'enfoncer dans un néant nauséeux. Je préfère la violence physique à celle du mental. J'aime la franchise, l'honnêteté et la vérité. Quoique ça puisse faire mal, tu sais à quoi t'attendre. Les gens relatent rarement une version des faits qui leur attribue le mauvais rôle. Le jus rouge colle parfaitement à cette idée. Fais ta job, jus blanc. Je t'accepte. Je te prends.

⁖

L'hôpital du Sacré-Cœur n'a plus de secret pour moi. Ses corridors, ses employés, ses bénévoles, ses odeurs qui explosent à chaque tournant, le son des civières, les langues mélangées (mais pas pour frencher), les regards soucieux, l'attente. Je marche dans cet hôpital comme si c'était chez moi. Ce matin, quatre mois après avoir rencontré Roxanne en génétique, je vais enfin savoir si j'ai les gènes BCRA1 et BCRA2. Ces gènes tristement célèbres qui ont poussé Angelina Jolie à subir l'ablation de ses seins, de ses ovaires et de ses trompes. La mère et la tante de l'actrice sont décédées du cancer du sein. Elle n'a pas pris de chance, elle a pris les devants. Comme mes seins n'existent plus, je me suis résignée à perdre mes ovaires et mes trompes, moi aussi. Ce qui me fait peur, c'est le legs de ces gènes à ma fille. Je veux qu'elle soit libre. Je veux qu'elle puisse choisir d'avoir ou non des enfants. Et je ne veux pas lui transmettre le cancer.

J'avance dans le corridor, plongée dans cet état second qu'entraîne l'attente d'une réponse lourde de conséquences. Je cogne deux coups et j'ouvre la porte. Roxanne est à son bureau, l'air serein. Mais cet air-là, je ne m'y fie plus tellement. Je tremble encore par en dedans. Elle me laisse m'assoir, et son visage s'éclaire d'un grand sourire. Je ne l'ai jamais vue comme ça. Je sais que ma fille est sauve.

Mes gènes sont tout à fait normaux. C'est juste mes cellules qui ont capoté ! J'ai serré Roxanne dans mes bras, l'ai embrassée et suis repartie avec mon bon bulletin, flottant dans le corridor d'oncologie. Des bonnes nouvelles, ça arrive pas souvent depuis le printemps. J'ai appelé des fées, et on a bu du champagne. Tsé, un moment donné...

Mes résultats de génétique et mon passeport d'oncologie
en main, la semaine des bonnes nouvelles se célèbre
au champagne !

Les prises de sang préchimio me stressent. J'ai manqué de plaquettes deux fois avec le jus rouge, ce qui a décalé mes traitements, tu te rappelles ? Alors après le premier jus de « produits naturels », je ne sais pas trop à quoi m'attendre. J'ai rendez-vous avec J-A, mon oncologue. Toujours aussi belle, elle m'accueille, elle aussi, avec un grand sourire. Si ça continue, je vais finir par y croire. Elle s'informe de mes effets secondaires, rectifie le dosage des antidouleurs et me rassure du mieux qu'elle le peut. Je voudrais qu'elle diminue un peu le jus blanc pour les chimios suivantes (une fille s'essaye), mais non. Je réponds « très bien » aux traitements !

Ma face devait avoir l'air d'un gros point d'interrogation, parce qu'après avoir dit ça, J-A a tourné l'écran de son ordinateur vers moi. Les résultats de mes prises de sang sont... hallucinants ! J'ai cinquante plaquettes de plus qu'il m'en faut pour le prochain jus, et ce, douze jours seulement après le dernier ! Je ne sais pas si tu comprends ce que ça veut dire, mais en gros, mon système immunitaire remonte, même avec la nouvelle chimio dans mes veines ! Mon corps se bat. Mes globules blancs sont tellement dans le tapis qu'on peut diminuer les injections quotidiennes. Je passe de dix à huit ! Il me reste vingt-quatre piqûres à me faire. Sur quatre-vingts. Je te jure que le grand décompte est commencé.

C'est la semaine des bonnes nouvelles. Je flotte. Je vais finir par arrêter de grandir.

MES FÉES

Miryam Bouchard — Julie Le Breton — Julie Smart — Rose-Anne Déry
Tammy Verge

QUAND JE ME FAIS DU CINÉMA

21 août 2018

Je marche dans une ruelle de mon quartier. En fait, de mon ancien quartier. Je vis dans Ahuntsic, tout près de l'autoroute 40. Quand je traverse Crémazie vers le sud, je me retrouve dans Villeray en trois minutes. Ce quadrilatère où j'ai aimé éperdument deux hommes et qui a vu naître ma fille et ma carrière.

J'ai tout vécu dans Villeray, sauf le cancer. Lui, il habite Ahuntsic. Quand ce sera derrière moi, je vendrai ma maison aux cent pas. Elle est remplie d'amour, cette maison-là, j'y ai des souvenirs tendres et mémorables. Mais partout maintenant, je m'y vois étendue, malade et souffrante.

Quand le négatif l'emporte dans ma vie, depuis toujours, je me pousse. Alors dans un an, je paquète mes p'tits et je me refais une vie toute neuve. Dans un nouveau quartier, inconnu. Parce que j'ai appris à l'apprivoiser, lui, l'inconnu. Et il me fait de moins en moins peur.

Il est proche 22 h, je marche dans une ruelle de Villeray et j'observe la vie des autres. C'est un de mes sports préférés. Les fenêtres me donnent un accès privilégié à tantôt une cuisine, tantôt un salon et, quelquefois, une chambre à coucher. Bizarrement, c'est souvent la fenêtre la moins intéressante.

Le soir, les gens vivent sans se savoir vus. Je les regarde comme si je regardais la télé. Je peux leur donner les répliques que je veux dans ma tête, leur inventer une vie qui n'est pas la leur et même, des fois, penser tellement fort à quelque chose que ça se produit. Un baiser, une main qui caresse pour apaiser, un immense fou rire. Quand j'y arrive, je me prends un peu pour Dieu. Ou pour le fameux gars des vues.

J'ai 24 fées et quelques lutins dans mon entourage. En voici un beau qui m'a amenée sur l'eau. Répit avec Rémi avant la dernière chimio. Merci, mon ami.

Parfois, dans les corridors de l'hôpital, le ton, le son ou les mots que j'entends me font stopper net. À l'inverse des ruelles silencieuses où je vois sans être vue, à l'hôpital, j'entends sans voir. Et ce qui me fait arrêter, cette fois-ci, ce sont les sanglots difficilement contenus d'une femme qui essaie de nommer quelque chose. Elle cherche ses mots dans un étranglement de voix qui se resserre, s'essouffle et se retient. Comme avant une explosion. Tu l'entends? Ce vide rempli de trop-plein qui arrête le temps?

Je recule de deux pas en essayant de ne pas attirer l'attention (quoiqu'avec mon afro, c'est difficile). Je me poste le long du couloir à côté de la porte entrouverte d'où me déchire cette voix. Je l'imagine frêle dans sa jaquette d'hôpital, blême et, évidemment, au bord du gouffre. Suspension. Je n'entends plus les autres bruits du corridor bondé. Toute mon attention est dirigée aux bords des lèvres d'une inconnue maintenant silencieuse quand... ça explose. Le vide plein éclate. Une voix d'homme forte, dure et colérique me coupe le souffle. Je le vois très clairement dans ma tête. Grand, fort, le cheveu foncé et l'œil incandescent.

« Voyons, crisse! C'est le monde à l'envers! Là, c'est moi, MOI, comprends-tu? Juste MOI! Y'a pu de "Ghislain, calme-toi". Je me calmerai pas, c'tu clair? Voyons, ciboire! Quessé que tu comprends pas là-dedans? »

Saisie jusque dans ma colonne vertébrale, comme si je me sentais prise en faute, je me remets à marcher en essayant de faire le moins de bruit possible, même si l'effervescence du corridor enterre facilement mes efforts. Je traverse le cadre de porte de la chambre au ralenti et j'ose y jeter un œil...

C'est lui qui est en jaquette d'hôpital, le teint blême, plogué de partout. Des larmes plein la figure, elle se tient au bout du lit d'où dépassent les pieds de l'homme. Image furtive, mais si forte. Je savais qu'il était grand.

« Tu m'écoutes pas! JAMAIS! J'vais mourir, calvaire! On peut-tu arrêter de parler de toi deux minutes? De comment tu te sens? Le sais-tu comment je me sens, MOI? Côlisse... »

Me suis fait pogner solide. Mon cœur est tellement serré que je ne respire plus. J'ai entendu la détresse, la peine et la colère. J'ai vu le gouffre entre deux êtres au bord de la falaise. La dernière. J'espère qu'ils vont réussir à se parler et à s'écouter après l'explosion. Ils ont peur. Tous les deux. Le suprême inconnu est là, comme un éléphant dans la pièce, et ils ne savent pas quoi en faire.

Ma formule sanguine est à nouveau très belle. Mon corps se démène, et le jus blanc fait sa job. Je suis de retour dans ma grosse chaise bleue de chimio; c'est mon avant-dernier traitement. L'entrevois-tu comme moi, le bout de la *run*? Encore trois semaines de douleurs, et c'est fini... Pour cette étape-là, du moins.

Quand j'y pense, que je regarde derrière moi, j'en perds presque le souffle. Pas que je n'y crois pas, mais c'est comme si le Saint Graal était enfin à portée de main. C'est étourdissant. Le pire sera chose du passé dans trois semaines. En tout cas, c'est comme ça que je le perçois, que je le ressens.

Jacinthe, l'infirmière qui m'a le plus souvent ploguée sur mon jus, a la tremblote. C'est de famille, qu'elle m'a dit à notre première rencontre. Sont tous de même, chez eux. Mais avec ou sans tremblement, elle réussit son coup à chaque fois. Elle cherche, trouve et pique ma veine d'une *shot*.

On a appris à s'apprivoiser, elle et moi. Et elle a fini par avouer que je la stressais un peu. La fameuse télé... Le pouvoir infini du câble. Ça m'a fait l'aimer encore plus, cet aveu. Les vraies affaires. Pas de faux-fuyants, pas de faux-semblants. Ça me touche. Mais aujourd'hui, elle ne me pique pas. C'est une toute jeune infirmière qui prend sa place, même si ma Jacinthe est là. Je la regarde, sourire en coin, jusqu'à ce qu'elle s'accroche à mes yeux. Je le sais, moi, que ma fée du jour lui donne presque le Parkinson. Elle redoute trop la tremblote, alors elle passe la *puck*.

Super bonne, la recrue. Elle cherche, trouve et pique une super belle veine, et ma *ride* de char commence. On en a pour quatre heures et demie. On débute avec le décadron, qui me fait serrer les dents. On enchaîne avec le Benadryl, qui me gèle automatiquement. Je flotte, les yeux mi-clos. Je commence à perdre mes mots et je deviens molle. Ma fée observe cet univers qui, il y a encore 30 minutes, lui était complètement inconnu. Elle est belle à voir, tendre et ouverte. Un brin fatiguée après une nuit mouvementée, mais elle est là, avec moi. À 8 h du matin, dans l'aile d'oncologie, assise sur le petit tabouret des accompagnateurs, elle fait avec moi la rencontre des nouveaux arrivants.

Il y a d'abord Marjo, la belle brindille aux chevilles enflées. Elle a une récidive de cancer du sein qui s'attaque maintenant au péritoine, la membrane qui tapisse les parois de son abdomen. Son ventre a gonflé comme au neuvième mois d'une grossesse; on lui a retiré sept litres d'eau, et elle a arrêté de manger parce que c'était trop douloureux. Résultat : elle n'a plus que la peau sur les os et des seins hauts et fermes qui se tiennent comme par magie sous son petit top coloré! « Faut ben qu'il y ait un peu de positif dans tout ça! » Belle Marjo...

Il y a aussi ce couple devant nous. Pour une rare fois dans cette épopée de quatre mois, c'est lui qui s'assoit dans le fauteuil bleu. Il s'est réveillé un vendredi matin avec un fichu de gros mal de dos. Il n'est pas rentré travailler. Ça a duré tout le week-end et, finalement, le lundi, il est allé consulter... Son gouffre s'est ouvert à ce moment-là : il traînait un cancer de la prostate qui s'était propagé. Métastases partout sur la colonne vertébrale. « On dirait qu'elle a passé au feu! C'est noir-noir-noir! »

Il reçoit le jus qui fait tomber les ongles. Sa douce lui change sa glace aux trente minutes, entre deux crochets de tricot. Quand elle se rassoit face à lui, il sort ses mains gantées de la glace et lui fait un cœur avec ses doigts... Parce que même s'il n'a pas d'assurance invalidité et qu'il gruge dans son bas de laine de retraite, ils s'aiment assez pour s'en sortir tous les deux gagnants.

C'est stressant, l'argent, mais quand tu as eu peur de mourir et que tu te sens aimé, c'est tout à coup bien illusoire, un bas de laine.

Ma plus petite fée est venue avec moi pour la première fois à l'hôpital la semaine passée. Un remplissage d'expanseurs (les prothèses gonflables qui m'aident à étirer mes muscles et ma peau en prévision de la reconstruction finale), c'est rien de trop traumatisant pour une enfant de onze ans. Je suis contente qu'elle soit là. Elle aussi, elle commence à voir le bout : son retour à l'école sonnera la fin de la chimio. Elle va terminer ses vacances quand les miennes vont commencer. Ma fille a passé un été formidable entre ses camps de vacances, des séjours au chalet avec moi et un voyage en Gaspésie avec son père. La belle vie. Je pense qu'on aurait tous vécu ça différemment si j'avais été malade l'hiver, mettons.

On est assises dans la salle d'attente. On placote de son dernier camp, justement, quand une dame (on va l'appeler Rose) entre, suivie d'un homme qu'on imagine être son mari. C'est une dame frêle et jolie, vêtue d'un pantacourt blanc. Maquillage léger, le pas hésitant. Je lui donne environ 65 ans.

Ils s'assoient devant nous. Je la regarde discrètement. Je ne sais pas quoi, mais quelque chose cloche. Une dame si délicate et coquette... qui porte une chemise d'homme beaucoup trop grande pour elle. La chemise va parfaitement bien avec le blanc du pantalon, par exemple !

Un chemisier, ça se boutonne par en avant et ça s'enfile aisément sans trop lever les bras. Je le sais, j'ai porté les kangourous de l'amoureux d'une de mes fées pendant deux mois. Mon cœur s'arrête, et ses yeux tombent dans les miens. C'est là, à ce moment précis, que mon œil capte ce qui me dérangeait : le pansement de mastectomie à peine visible qui sort en haut du dernier bouton attaché.

Rose...

L'inquiétude dans son visage. Cet inconnu qui gruge et ronge même l'âme la plus solide. Ce moment fatidique où tu dois faire face à ta musique. Elle a vécu les trois quarts de sa vie avec ses seins. Ça me bouleverse qu'elle soit obligée de passer par là à son âge avancé. Cancer de marde.

Quand on a appelé mon nom, je ne l'ai pas quittée des yeux. Je me suis approchée tout doucement d'elle, je lui ai pris la main et lui ai soufflé : « C'est moins pire que vous vous l'imaginez, je vous le promets. La plus grosse semaine est faite. Pour le reste, ça va bien aller. »

Et je suis certaine de dire vrai. C'est moi, le gars des vues, OK ?

Le titre de ce texte
est une chanson
de Patrick Watson.
Définitivement
à écouter.

THE GREAT ESCAPE

6 septembre 2018

Il est 6 h 30, et j'ouvre mes rideaux sur une journée radieusement enso-leillée. Une autre qui s'ajoute à cet été qui n'en finit plus d'être beau. Pour une rare fois, ma fille se réveille comme un *spring* sans chialer qu'il fait trop clair. À presque 12 ans, elle peut dormir 12 heures d'affilée. Mais ce matin, elle ne traîne pas dans son lit. Ce matin, elle m'accompagne à l'hôpital pour mon jus. Un p'tit dernier pour la route. D'après mes ana-lyses sanguines, mon foie et mon pancréas commencent à en avoir leur voyage, mais rien d'alarmant au point de ne pas le faire, le prendre, le recevoir (appelle ça comme tu veux) et le gérer, ce fameux *last call*.

À 7 h 30, ma Wonder fée arrive avec son carrosse. Cette fée-là en a vu d'autres, laisse-moi te le dire. Elle est passée par là avant moi (comme trop de femmes), et elle a accompagné sa plus grande amie jusqu'au bout de sa vie, il y a six ans maintenant. Mais elle est là, solide comme un roc, depuis le début de ma *ride*. C'est elle qui était avec moi au moment du diagnostic. C'est elle aussi qui a embarqué dans le pire manège du monde, le 10 avril, jour où j'ai cru mourir. Elle encore qui m'a accompa-gnée, le lendemain, pour l'opération. Ma Wonder fée qui s'est tapé trois chimios avec moi, même si l'odeur de l'aile d'oncologie lui vire l'estomac à l'envers et lui ramène chaque fois des souvenirs pas très heureux. Elle est là. Toute là. Et ça, crois-moi, ça vaut de l'or. Et c'est pas donné à tout le monde.

Je suis nerveuse comme un soir de première au théâtre. Je me suis mise belle. Des nouveaux cheveux blonds, une robe, un peu de rouge aux joues. Ma fille me tient par la main, ma perruque rose sur la tête. Wonder fée suit dans le dernier droit de cette série, mon afro sur ses beaux cheveux repoussés. Trois folles aux couleurs de crème glacée

75

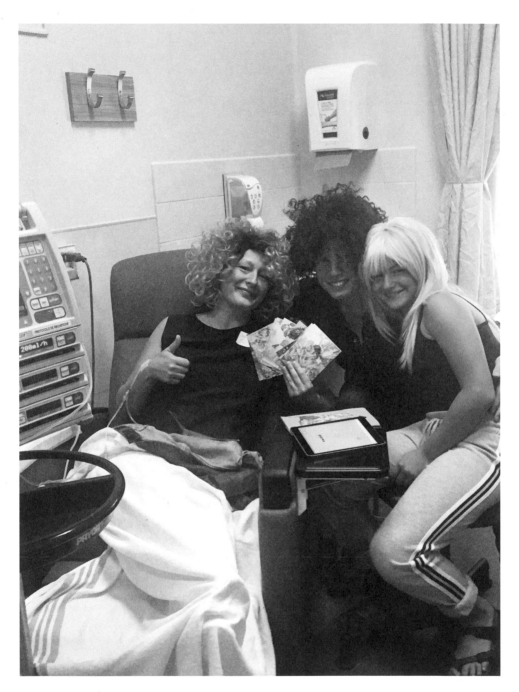

Dernière mise sous tension !
Trois folles aux couleurs de
crème glacée napolitaine.

napolitaine qui débarquent en oncologie à 8 h du matin, ça fait sourire. C'était le but.

Ma Jacinthe trouve ma veine, et c'est parti. Je serre les dents pour une dernière fois.

·

Mes fées m'ont toutes écrit un mot. Mots qui se sont retrouvés sur 24 cartes postales que j'ai lues toutes les dix minutes pendant les trois premières heures d'injection. Ma fille les ouvrait en éventail, et j'en choisissais une au hasard. Te dire l'amour que j'ai reçu! Elles étaient toutes avec moi, ces belles femmes qui m'ont portée le long de mon périple. Toutes avec moi, à me faire de la soupe (je suis pu capable d'en manger), me laver les cheveux, me bercer, essuyer mes larmes ou me faire rire. Toutes avec et pour moi.

Puis, j'ai reçu un bouquet de huit ballons. Quatre rouges et quatre blancs. Concept. J'ai écrit au sharpie un mot qui me rappelait les deux sortes de jus sur chacun des ballons et je les ai laissés s'envoler devant la rivière des Prairies.

Le bouquet est parti doucement puis... s'est coincé dans un arbre. Ça nous a fait rire.

Pas superstitieuses.

·

Je commence à être fatiguée. L'avant-dernier jus a été plus difficile que tous les autres ; je redoute donc les effets de cette ultime mise sous tension. Je redoute aussi le « vide » post-chimio. Je veux en finir, comprends-moi bien. Je le veux plus que tout au monde, mais ça fait six mois que je suis embarquée dans mon train. Six mois que j'avance les yeux ouverts, la face dans la gravelle, le *chest* collé sur l'asphalte. Cette impression d'être une figure de proue au front de bœuf sur le devant d'un TGV. Ça roule vite, un TGV. Puis comme ce n'est pas toi qui chauffes, tu comprends assez rapidement que tu vas devoir absorber les virages serrés, les côtes abruptes et les bibittes en pleine gueule sans pouvoir faire grand-chose.

Quand on va arriver en gare, la force d'inertie ne me tiendra plus debout. Je vais tomber, je le sais. Pour être honnête, je te dirais que je suis un peu tannée de tomber. Et je me doute qu'à force d'accumulation, ce dernier traitement va me faire encore plus mal que tous les autres.

J'avais raison. C'est pas mal ça qui m'arrive.

Fameux jour 3. Horrible soirée. J'ai tellement mal partout que je suis certaine d'avoir l'air d'un poisson qui manque d'oxygène dans le fond d'une chaloupe. J'espère juste que je n'en ai pas l'odeur... Mais comme y'a personne pour me le dire, on s'en fout.

Nuit 3. Atroce. Je geins sans cesse en me berçant du mieux que je peux, calculant les prochaines pilules qui soit vont m'assommer une heure, soit ne feront rien pantoute. Tsé quand je dis mal « partout » ? Ben c'est exactement ça. Une bonne morsure sur le croquant de l'oreille qui se réverbère jusque dans ma boîte crânienne. Un éclair fulgurant de Goldorak le Grand qui me transperce les fémurs pour aboutir dans les os de mon bassin. Un coup de poing en plein ventre qui me plie en deux et me fait émettre des sons jamais sortis de ma bouche. Et Dieu sait qu'en sont sortis, des bruits, de cette bouche-là ! Bref, ça va mal et ça fait plus mal encore.

Jour 4, au petit matin. Je ne marche plus.

J'ai jamais souffert comme ça en 47 ans. Jamais. Toutes les cellules de mon corps ont mangé une volée. Sans rien enlever au miracle de la vie, je donnerais naissance à ma fille à frette dans l'bois, encore et encore, avant de repasser par là. (Et je précise que ça m'a pris 23 heures pour la sortir de moi et enfin voir sa petite face... Mais au bout du compte, il y avait sa petite face.)

Mettons que quand j'ai retrouvé mes jambes et mon miroir, ma face à moi était pas *top notch*. Il m'aura fallu presque dix jours pour voir le bout.

Ce qu'il y a de pire avec la douleur, c'est que ça te gruge le moral. Cette portion saine de ta tête qui te tient debout, celle qui te donne la force de continuer, elle prend le bord tranquillement. Comme si les hurlements du corps enterraient, petit à petit, cette voix qui fait que l'humain survit.

Jour 5. Je suis partie à Rougemont. Pour sortir de ma maison aux cent pas et quitter ce lit qui, ma foi, va finir aux vidanges dans pas long ! Une fée y a une piscine au sel, des pommiers et une maison faite de pain d'amour. J'y ai rejoint ma sœur, et on a flotté pendant des heures. Pour les souffrances du corps, y'a rien comme l'apesanteur. Pour le cœur, rien comme une sœur. J'ai commencé à guérir.

Mes pieds sont recouverts d'eau. Mes orteils partiellement engourdis agrippent le sable. J'ai retrouvé un vieux maillot aux couleurs du drapeau de nos voisins du sud et je suis debout, face à mon lac. Pour la première fois en cet été caniculaire, je peux enfin y plonger. C'est le long week-end de la fête du Travail et, bizarrement, il n'y a pas grand-monde autour du lac. Comme si mes voisins s'étaient donné le mot pour me laisser tranquille. Pour laisser toute la place à cette vulnérabilité qui fait de moi, en partie du moins, une nouvelle personne.

Je suis debout, donc, les pieds dans l'eau, face à mon lac, dans un vieux maillot étriqué qui couvre ma poitrine de béton et dévoile mon corps de Gumby et ma tête d'œuf. J'ai déjà été plus en forme, mettons. Ma peau est pas loin d'être phosphorescente tant je me cache du soleil depuis six mois. Et mon corps ? Mou comme de la guenille. Mais j'avance quand même dans l'eau fraîche presque froide. Une fois l'entrejambe submergé, c'est au tour du ventre. Que c'est bon ! Je prends une grande inspiration par réflexe ; la poitrine, c'est le plus difficile à « saucer » pour une femme. Enfin, ça l'a toujours été pour moi...

Plus maintenant. Ça se fait calmement parce que je ne sens plus ma poitrine. Tu sais, les « bandeaux » à seins qu'on met sous une robe *strapless* ?

Quatre ballons rouges,
quatre ballons blancs...

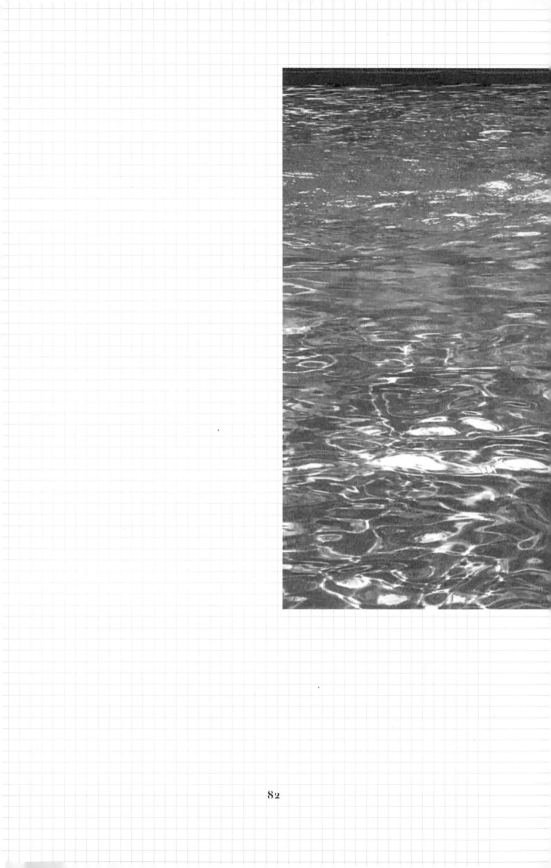

La piscine au sel...

C'est comme si j'en portais un en métal depuis cinq mois. Ça aide pour se saucer en nature début septembre.

Je nage dans mon lac.

Te dire la douceur de cette eau ; le soleil qui se couche tranquillement derrière les arbres ; la beauté des nénuphars qui se faufile jusqu'à mes yeux qui se ferment ; leur odeur de poudre pour bébé qui se rend à mon nez qui aspire tout avec avidité. À chaque brassée, une caresse. À chaque inspiration, une émotion. À chaque coup de pied, une goutte qui s'échappe de mes yeux et un sourire de gratitude.

Je m'étais fixé un but, le 12 avril dernier, en plein lendemain d'opération : le week-end de la fête du Travail, je nagerais dans mon lac. J'y suis arrivée. Je suis vivante et je prends « la forme de l'eau ». Il y a des titres de films comme ça, qui prennent tout leur sens à des moments précis. Comme une petite épiphanie. Par contre, je n'ai pas trouvé de monsieur poisson dans mon lac. N'est pas Sally Hawkins qui veut ! Faut dire, aussi, que je n'avais pas de banane pour l'amadouer...

Bonne rentrée ! Moi, j'suis en vacances.

VIVACE
ET ODORANTE

28 septembre 2018

Une terre de cent acres au creux d'une colline. Une terre à bois fendue d'un ruisseau qui me paraissait, petite, semblable à une rivière farouche et dangereuse. Ce cours d'eau qui se changeait, aux abords du camp de Grand-père, en source claire, prête à boire.

Quand tu arrives en haut de la côte, tu vois la maison de mes grands-parents en bas de la colline verdoyante, blanche comme un nuage de beau temps ou pleine de couleurs, selon la saison. Pis ça sent bon là, t'as pas idée. Un mélange de champignons, de mousse, de fleurs et de vert. Chaque fois que j'arrive en haut, ça sent la même affaire et dans mon cœur, ça goûte pareil. De la joie pure, une excitation enfantine. Le goût rassurant d'un passé heureux.

Ce passé, il a pris cent un ans et demi à se bâtir. Ce passé aux odeurs de bonheur et de cœurs de poulet en sauce porte un nom : Rollande. Pis Rollande, ça s'adonne à être ma grand-mère. Je suis la fille la plus chanceuse du monde.

Ma grand-mère a vraiment pris goût à sa vie en déménageant à la campagne, à 25 ans. Avec Léo, mon grand-père, elle a eu sept enfants, une terre en bois debout, des poules, des chevaux, un poney, des cochons et des vaches. Peut-être même des chèvres, mais je ne suis pas sûre. Grand-mère avait un immense jardin, un champ de patates et un autre de maïs. Elle n'arrêtait jamais. Comme elle ne buvait pas d'eau.

« L'eau, ça fait rouiller, pis je dormirai à côté du Bon Dieu ! »

Les jambes bien droites, le corps penché, pliée en deux comme si de rien n'était, elle cueillait ses patates sans jamais avoir fait de yoga. Elle pouvait revenir du bois par la clairière à moitié nue parce qu'elle avait trouvé trop de « talles » de bleuets ou de fraises des champs et que, pour les retrouver, elle suspendait aux arbres ce qu'elle avait sur le dos... Mon grand-père était fou d'elle, tu comprends bien.

Pas très grande, 5 pieds 2 ou 3 pouces, je dirais, cheveux noirs et yeux bleu azur, elle avait le rose aux joues naturel. Un jour, elle est sortie du bois, la hache à la main et son tablier tout ensanglanté. Grand-père mettait des pièges à ratons près du champ de maïs pour protéger sa récolte, mais au lieu d'assommer la bête avec le plat de l'outil comme il le faisait, elle, elle l'a achevée avec le tranchant pour éviter de faire souffrir inutilement le rongeur. Elle avait un cœur immense et peur de rien.

Et la peau si douce...

Elle est, je le crois profondément, la première personne au monde à avoir recyclé. Avec elle, tout avait une seconde vie (ou plusieurs). Rien ne se jetait. Même dans les derniers miles de son existence, elle prenait les sacs de pain vides à la cafétéria de sa résidence pour les remplir de pop-corn et nous les offrir quand on allait la visiter. Parce que c'était aussi ça, Rollande : le don de soi et de ce qu'elle possédait. Personne, jamais, ne repartait de chez ma grand-mère les mains vides. Et on repartait toujours le cœur plein.

Quand elle n'était pas dehors à s'occuper, elle cuisinait. Elle faisait des miracles avec de la farine et du beurre. Elle cuisinait pendant des jours pour nous accueillir toute la gang – on est 38 à la base et on est rendus 80, si on compte les arrière-petits et les partenaires amoureux. Elle faisait tourner les tablées pour le jour de l'An, Pâques, les épluchettes et tout autre prétexte pour se retrouver ensemble à boire du gin, faire de la musique, chanter, danser et jouer aux fers. Elle nous a tissés serrés.

Je me souviens d'une nuit en particulier. C'est le jour de l'An. On est tous cordés, les cousins et cousines, dans la cave, sur des matelas ou des divans. Ça sent le dodo d'enfants et le bacon. Il doit être cinq ou six heures du matin, et je ne dors pas. Ma grand-mère brasse dans la cuisine

Les 100 ans de Rollande. Avec ma
sœur Roxanne. Quand je te dis qu'on
s'embrasse beaucoup, chez nous...

depuis deux heures... Ça veille tard chez les Lemay. Ça a dû jouer aux cartes jusqu'à trois-quatre heures. Rollande a pas dormi beaucoup ou pas du tout. Et moi, je fais semblant, couchée entre un cousin et une cousine, un œil à moitié ouvert pour la regarder aller. J'attends mon tour. Parce qu'elle passe à côté de nous et soulève délicatement la main de chacun de ses petits-enfants, pour la laisser retomber mollement. Elle sourit à chaque fois, attendrie. Je me demande encore aujourd'hui si, du haut de mes neuf ans, j'ai réussi à la berner.

La dernière fois que j'ai vu son Léo, mon grand-père, c'était il y a 13 ans. Ma fille n'était pas encore dans mon ventre. La famille s'était réunie sur la terre pour une épluchette. On savait tous que c'était sa dernière, à Léo.

Ce jour-là, je suis rentrée dans la maison pendant que mon grand-père se reposait un peu dans le salon. J'ai eu l'immense privilège de boire un Cinzano moitié-moitié avec lui, assise à ses pieds, devant sa chaise berçante. Il m'a dit ses silences, sa peur de laisser sa Rollande et sa crainte de mourir. Je l'ai beaucoup embrassé et j'ai beaucoup caressé ses belles mains bleutées.

La dernière fois que j'ai vu sa Rollande, c'est la veille de sa mort. J'ai fait un détour par Sherbrooke, sachant que c'était bientôt l'heure où mon grand-père viendrait la chercher à son tour. Enfin! Elle avait 101 ans et demi. Elle se demandait qu'est-ce qu'il attendait donc, pour lui ouvrir la porte... Il cherchait sûrement la clé. Il cherchait souvent ses clés.

Ma sœur, mon père, ma tante Loulou et moi, on a vécu une heure de pure douceur avec elle. On s'est beaucoup embrassés et beaucoup dit « je t'aime ». On a caressé ses mains, ses cheveux et son beau visage. Elle nous a fait rire, nous a poussé une p'tite toune en dansant avec ses bras, nous a parlé du Bon Dieu (en le pointant très fort au plafond avec son index), de mère Nature et de Léo, bien évidemment. Elle nous a raconté sa brouette et ses phlox, qu'elle a semés à tout vent. On a tous des phlox à Grand-mère sur notre terrain. Elle a répété au moins trois fois que ces fleurs étaient un cadeau de mère Nature, qu'elles étaient vivaces et odorantes...

Même au seuil de la mort, Grand-mère, tu es restée semblable à tes phlox : vivace, avec cette odeur bien à toi de savon de pays.

Le mien. Grâce à toi.

Bon voyage, Grand-mère. Je t'aime.

Mes vacances sont finies. J'embarque dans mon dernier tiers : la radio-thérapie. J'ai eu ma journée de « planification » la semaine passée. On m'a moulée, tatouée et scannée. En gros : tu t'étends sur un sac mou rempli de petites billes, les bras dans les airs comme dans une séance de bronzage, et quand la position est bonne pour tout le monde (mais sur-tout pour toi, étant donné que tu ne dois pas bouger du moule pendant la radiation), on retire l'air du sac. D'un coup, tu te retrouves couché dans une roche qui a la forme de ton torse ! C'est assez fascinant. Ensuite, on marque ta peau à six endroits différents pour prendre des repères. Six points gros comme des grains de beauté ornent maintenant le haut de mon corps. Le scan sert, quant à lui, à vérifier que l'endroit où seront envoyés les rayons ne touche pas le cœur et les poumons.

On en a pour cinq semaines, cinq jours par semaine. P'tite job pépère. Embarques-tu ?

Ça va être moins intense que ce qu'on a traversé cet été. Je te le jure.

Le jardin intérieur de la Cité-de-la-Santé.

OLD FASHIONED BOWIE

17 octobre 2018

Il pleut à boire debout. Du jour où, petite, j'ai levé la tête vers le ciel la bouche ouverte et la langue sortie, j'ai toujours aimé cette image. C'est vrai qu'on peut boire la pluie durant une grande averse, comme on peut manger de la neige fraîchement tombée l'hiver. Mais c'est mieux de faire ces deux activités-là à la campagne, mettons... Question d'époque.

Il mouille à siaux, mais comme je suis à Laval, je ne sors pas ma langue et je rentre mon afro sous mon capuchon d'imper. C'est ma première séance de « bronzage ». Tous les matins à 9 h, cinq jours par semaine, pendant cinq semaines, je ferai le même trajet. J'ai une pensée pour M. Latreille, pour qui se rendre à Sacré-Cœur de bonne heure en partant de Laval était un véritable cauchemar. Moi, c'est le contraire. De Montréal à la Cité-de-la-Santé, je roule presque toute seule sur l'autoroute. Ma vie est bien faite des fois.

Ce qui frappe en premier quand tu arrives là, ce sont les lignes « contempofuturistes ». Comme si l'aile d'oncologie était faite en Legos 2.0. Y'a rien qui dépasse, les arbres sont placés aux bons endroits pour bien pousser, les chars sont parfaitement cordés. Sans être froid, c'est... disons *slick*. On est loin de mon vieil hôpital en éternelle rénovation. Et comme le rendez-vous est dans l'aile réservée aux cancéreux, tu ne croises pas d'autres malades pris avec d'autres maladies. On est tous dans le même bateau. Tous choisis par le cancer.

La radio-oncologie est au rez-de-jardin. La chimio est au premier. De l'extérieur, quand j'arrive du stationnement, je vois les fenêtres des salles de chimio. Comme six cadres qui s'ouvrent sur des poteaux où pendouillent les jus et autres médicaments, d'où émergent derrière le dossier des fauteuils des têtes chauves ou coiffées d'un foulard. J'ai failli

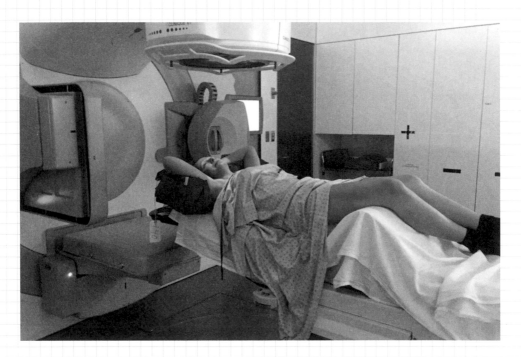

Une fois qu'on m'a bien installée dans mon moule, on va
dénuder ma poitrine, les techniciens vont sortir de la salle
et la machine va me tourner autour durant sept minutes.
. P'tite job pépère.

m'enfarger dans la craque du trottoir. J'ai eu un haut-le-cœur suivi de près par un frisson de dégoût et beaucoup d'empathie. Mon corps se souvient et me parle. Fait que je l'écoute, je baisse les yeux et me dirige vers ma porte. J'ai un élan de reconnaissance pour ma Wonder fée qui m'a si souvent accompagnée en chimio, malgré tout ce que son corps à elle devait hurler...

Quand j'entre, ça ne sent rien. Ou si peu de choses. Comme une odeur de propreté, mais pas javellisée. Y'a pas un chat dans le corridor blanc. Pas une voix ni un son. Mes bottes pourtant sans talons résonnent si fort que je commence à marcher sur la pointe des pieds. J'entre dans un nouveau monde, un autre, en faisant le moins de bruit possible.

Pendant mon mois et quelques de « vacances », j'ai beaucoup dormi. Des fois jusqu'à 18 heures par jour. Les trois premières semaines, je dormais partout. Même que ça commençait à me plomber le moral. J'en ai parlé à mon psy, qui m'a dit une chose étrange et douce : « Je crois que d'avoir un peu d'empathie pour ton corps (et ton cœur, on s'entend), ça t'aiderait à moins déprimer... Tu l'as pas eu facile depuis le printemps, Anick. »

Boum. Ça m'a sauté dans 'face et ça a fait fondre mon cœur. Depuis plusieurs mois, toute mon attention a été portée vers la fin de ma *run* et les gens qui peuplent cette digression déroutante de ma vie. Et là, tout à coup, comme sur un pont suspendu entre deux rives au-dessus de mon gouffre, l'adrénaline tombe. Je peux baisser la tête, me flatter dans le sens du poil et me laisser dormir. Tsé des fois, t'as beau être bien entouré, si tu ne t'entoures pas toi même...

J'ai aussi donné congé à mes fées. Une pause hautement méritée. Ce répit a bien adonné à tout le monde avec la rentrée des classes, le retour au travail et la reprise des tournages. Bref, ce temps d'arrêt, ce vide de gens et d'activités hospitalières, a passé comme un éclair. Complètement l'inverse des six derniers mois où le temps n'en finissait plus de finir. Je suis même allée à L'Écurie pour retrouver mon entraîneur. Il m'a donné des exercices à faire à la maison, à mon rythme, question de tonifier ce corps qui a été bien malmené et de renouer avec lui. Pour être honnête, je n'arrive pas encore à faire la moitié de ce qu'il m'a prescrit, mais quand je parviens à faire trente minutes d'étirements et de squats, ça me met de bonne humeur. Le fameux besoin de contrôle n'est jamais ben loin... Et on le prend où on peut.

Mes bras sont toujours douloureux, surtout le gauche, mais c'est moins pire. Mon *chest* de plomb, lui, est... un *chest* de plomb. Ça, ça ne change pas. Et sincèrement, on ne s'habitue pas. Pas encore, à tout le moins. Mes cheveux repoussent doucement en duvet noir (j'avais quatre cheveux blancs avant, j'espère ne pas en avoir plus après), mes sourcils sont apparus depuis peu, comme dessinés au charbon, et les cils de chat aux coins internes de mes yeux sont de retour. La chimio évacuée de mon corps, la nature reprend ses droits. Pourvu que mes hormones se tiennent tranquilles et que mes cellules restent sages, ma machine marche. Je pense encore à Marie-Pierre Arthur et je serais curieuse de voir mes analyses sanguines.

Je m'étais habituée à l'effervescence de Sacré-Cœur. À ses odeurs mélangées, à son monde bigarré et trop souvent inquiet. Comme si j'entrais dans le feu de l'action en passant les portes. Comme si, dans ce tourbillon qu'était devenue ma vie, celle des autres était comprise. Comme un forfait tout inclus : une marée de gens sur une plage trop petite et un buffet pas tellement invitant. Un maigre deux étoiles. Mais quand t'es dedans, tu te trouves un *spot* où étendre ta serviette, tu tasses les algues pour plonger dans la mer et tu te nourris avec des frites et du poulet bouilli. Y'a pire, et tu le sais.

À la Cité-de-la-Santé, je marche seule dans mon nouveau monde sur la pointe des pieds. Tout est blanc, immaculé, et la lumière du jour, quoique grise à l'extérieur, se réverbère partout à l'intérieur. Le corridor débouche sur une aire ouverte d'où éclate l'immense escalier qui monte au premier. Je l'évite du regard et me pointe au bureau d'accueil. Je passe ma carte d'hôpital sous un lecteur de code-barres. On est rendus là, ma carte a un code-barres. Sur l'écran de l'ordinateur, mon nom apparaît. Je suis enregistrée. C'est malade...

Je m'installe dans « l'aire d'attente ». On ne peut pas appeler ça une « salle » d'attente parce qu'on est loin des chaises droites cordées entre deux civières occupées. On parle ici d'une aire ouverte avec fauteuils confortables (j'te le jure!), tables hautes avec *stools* et vue imprenable sur un jardin intérieur où, encore, rien ne dépasse. Il y a même une œuvre d'art dans ce jardin. J'ai l'impression d'avoir changé de pays tellement ça n'a aucun rapport avec les hôpitaux que j'ai connus depuis que je suis née. J'ai changé de pays ou alors je suis entrée dans ce fameux nouveau millénaire tant annoncé.

Je repère un fauteuil et j'attends. Pas longtemps. La voix qui sort du haut-parleur qui ne « griche » pas est claire et fluide. « Madame Anick Lemay en préparation pour la salle 2. Madame Lemay. » C'est moi, ça. Mon petit soldat intérieur reprend du service.

Je marche autour du jardin jusqu'à la salle de déshabillage. Retour de la jaquette d'hôpital. Je commence à m'attacher à ce bout de tissu. Comme on a changé les cordelettes sur les jaquettes, y'a pu moyen d'avoir les fesses à l'air. Confortable, j'te dis! Je mets mes choses dans mon casier et m'assois. Il y a une femme dans l'aire d'attente. Une humaine! Je saute évidemment sur l'occasion.

Elle s'appelle Josée, ses cheveux ont repoussé en petite coupe garçonne ('sti que j'ai hâte!), et elle est de très bonne humeur. C'est son dernier traitement aujourd'hui. Ça a bien été, sa peau a tenu le coup. La fatigue commence tout juste à se montrer le bout du nez. Elle clôt ce chapitre de vie l'œil brillant. Je trouve ça beau qu'elle termine et que je commence. J'ignore pourquoi, mais rencontrer cette femme lumineuse le premier jour de mon dernier *stretch*, ça me remplit de calme. Dans cinq semaines, j'aurai ça dans l'œil moi aussi.

Mon nom et ma salle se font entendre clairement. Je suis attendue. Je lui souhaite le meilleur pour la suite et je vogue jusqu'à la porte numéro 2. Je suis accueillie par trois chouettes techniciennes. Je repasse ma carte sous un lecteur, et ma photo apparaît. J'avais oublié qu'on m'avait photographiée, il y a un mois. J'ai une bonne face même si, dix jours auparavant, j'avais vécu l'enfer de ma dernière chimio. Je souris, même sans mon afro.

Je m'installe dans la machine, les bras en l'air, la tête bien calée dans mon moule. Les filles s'activent et me déplacent à coups de centimètres en tirant sur le drap en dessous de moi. Je ne dois pas bouger. C'est hyper précis comme bébelle. Les photons* qui vont traverser mon corps pour attaquer l'ADN des cellules potentiellement cancéreuses ne doivent pas toucher mon cœur et mes poumons. C'est du sérieux. Évidemment, dès que les techniciennes sortent de la salle pour commencer le traitement, ça se met à me piquer partout. Mais je ne bouge pas. Je ferme les yeux et je respire. Jamais autant respiré consciemment que depuis sept mois.

Ma Wonder fée m'avait conseillé de faire une *playlist*. Parce que, oui, tu peux arriver et donner ton CD aux techniciennes. Elles vont se faire un plaisir de te le mettre tous les jours. Si c'est pas du service cinq étoiles, ça, je ne sais pas ce que c'est... Sauf que, moi, j'ai décidé d'essayer de méditer pendant les sept minutes de rayons. Faut bien commencer quelque part.

Et c'est là, pendant que la machine me tournait autour comme un prospect assidu, que je l'ai entendu :

---

* La radiothérapie, comme me l'a si merveilleusement expliqué ma troisième doc, Anne-Sophie (le sosie de Charlotte Gainsbourg en plus jolie si c'est humainement possible), c'est comme des rayons X, mais en version plus puissante énergétiquement. En ciblant les régions susceptibles de contenir des cellules cancéreuses, la machine envoie le rayon dans les tissus et s'attaque à l'ADN desdites cellules. Les bonnes et les mauvaises. Le beau dans tout ça ? Les mauvaises cellules sont attaquées tous les jours et ne peuvent pas se réparer. Les bonnes, oui. D'où la fatigue qui s'accumule au fil des traitements. C'est fatigant, se réparer, mais t'as juste à accepter de dormir, et le tour est presque joué.

Ch-ch-ch-ch-changes
Turn and face the strange
Ch-ch-changes
Don't want to be a richer man
Ch-ch-ch-ch-changes
Turn and face the strange
Ch-ch-changes
There's gonna have to be a different man
Time may change me
But I can't trace time

Bowie m'attendait.

Il me reste dix-neuf traitements de radiothérapie. À date, ça se passe bien. Je ne sens rien pendant les séances et je crème les régions attaquées quatre fois par jour. J'ai toujours été Miss Crème, mais là ça dépasse tous les soins que j'ai pu donner à mon corps.

Je ne m'habitue pas encore à la blancheur éclatante de mon nouveau centre hospitalier ; le manque de contact doit y être pour quelque chose.

Je pense que je suis *old fashioned*.

Si ma télévision ne fonctionne pas, j'appelle la compagnie au lieu de fouiller les tutoriels pour régler le problème. Je suis plus du type humain que machine. Alors quand David me chante à l'oreille des mots porteurs de sens, j'oublie les rayons, la machine et le cancer. Je me concentre sur sa voix et je me dis que, oui, j'ai changé. Et que je suis encore plus toute là.

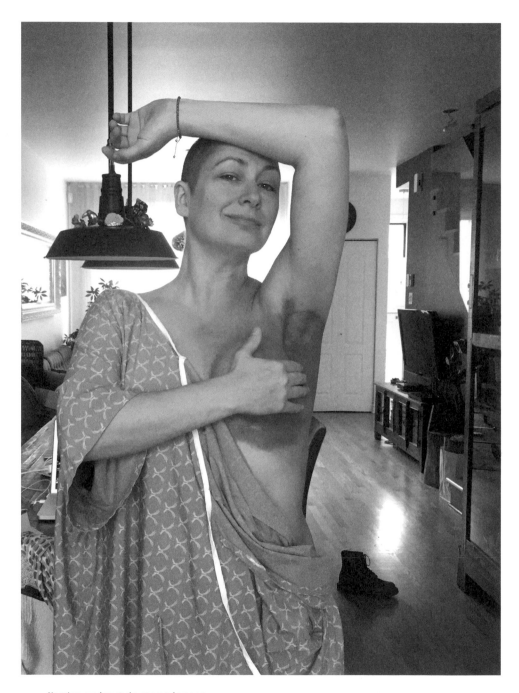

J'arrive au bout de mes séances
de bronzage... Ma peau continuera
de noircir dans les prochains jours
pour finir par commencer à... guérir.
Le corps humain est une machine
absolument stupéfiante !

BRÛLÉE ET VIVE

14 novembre 2018

J'ouvre les yeux avant même que mon cadran ne se fasse entendre. Mes draps neufs sont un peu rugueux sur ma peau trop toastée. Tu sais, comme après une journée passée à la mer, à faire du *bodysurf* jusqu'à en oublier que tu dois te crémer aux deux heures parce que l'eau saline mange la crème comme je mange du homard (avec gourmandise et délectation) ? Ben c'est ça.

La peau, quand elle brûle, elle pique. Signe qu'elle travaille pour se refaire. Comme pour un bobo sur le genou, quand la gale pique, faut pas gratter. On se l'est assez fait dire par nos mères ! Mais on gratte pareil (souvent en cachette), pis la gale tombe, pis elle se refait, pis ça repique, pis tu regrattes, pis ça retombe… Comme pour les peines d'amour, c'est long avant de comprendre et s'empêcher de gratter. Preuve : la plupart des êtres humains ont des cicatrices de bobos trop souvent grattés. On est tous pareils et si différents en même temps.

En ce matin gris et frisquet de novembre, j'ouvre les yeux. Avec le changement d'heure, même s'il est 6 h, il fait presque clair à travers ma toile. Ça me fait sourire. Je préfère la luminosité matinale à une fin de journée qui s'étire en dégradé de gris sombre.

Je souris aussi (et surtout) parce qu'aujourd'hui, c'est mon dernier traitement. Mon ultime séance de bronzage. En ce beau jeudi, que tu dois haïr parce que tu n'en peux déjà plus de novembre, j'ai le plus grand *smile* que t'as jamais vu.

J'ouvre grand les rideaux de ma chambre, je gambade jusqu'à ma salle de bain des années quatre-vingt, je me lave le visage et je m'arrête soudainement devant le miroir. Je *glow*. Je te jure que je *glow*. Je regarde mon reflet dans les yeux et je-me-vois. J'ai des cheveux très courts et très foncés, des cils et des sourcils plus noirs qu'avant et deux cicatrices sur deux prothèses à la place de mes deux seins. Le côté gauche de mon *chest* est brûlé et je *glow*. Je suis quelqu'un d'autre et la même à la fois.

Sans prendre le temps de m'habiller, je sors une feuille de papier et j'écris rapidement, le cœur battant. Ça fait des mois que je veux la faire, cette liste. Comme si j'attendais d'être vraiment passée à travers pour le nommer, l'inscrire, l'assumer. Le jour est arrivé. Attache ta tuque, mon ami, c'est vertigineux. Enfin, pour moi ce l'est.

Printemps

- Trois cancers (deux dans le sein gauche, un dans le droit)
- Mastectomie bilatérale avec évidement axillaire
- 22 ganglions enlevés (13 atteints)
- Cancer des seins grade 2, stade 3 (fiou !)
- Deux tantes décédées en deux semaines
- Convalescence d'un mois (beaucoup trop de soupe)
- Sept remplissages d'expanseurs
- 15 séances de torture pour mon bras gauche
- Beaucoup trop d'antidouleurs et de somnifères

Été

- Huit séances de chimiothérapie aux deux semaines (quatre jus rouges, quatre blancs)
- 76 injections pour les globules blancs
- 17 prises de sang
- Deux reports de traitement
- 22 pots de pilules, toutes allégeances confondues
- Deux pots d'huile de coco

Automne

- La mort de Grand-mère
- 25 traitements de radiothérapie
- Quatre gros pots de crème sans parfum
- Trois tubes de crème antibactérienne
- Acétaminophènes et ibuprofènes

Depuis ce fameux 5 mars, ma vie tourne autour de la mort et de ma guérison. Depuis trois saisons, je me suis traitée, et on m'a maltraitée de toutes les façons possibles pour venir à bout de ce crabe et le tenir loin de moi dans les années à venir.

Novembre nous fiche tous un peu la trouille, surtout en vieillissant. On a peur de la dépression saisonnière, du froid qui s'installe. Souvent, novembre, c'est un petit vertige. On a peur de sombrer quand la lumière se raréfie.

Mais moi, l'hiver qui approche, je l'attends depuis le printemps. Fait que je peux-tu te dire que le mois de novembre me fait le même effet qu'une brise chaude, le baiser mouillé de mon enfant et le spectacle des Perséides à Mégantic en même temps ?

Tout est une question de perspective.

J'arrive à la Cité-de-la-Santé au volant d'une voiture qui ne m'appartient pas. Ça apporte aussi ça, le cancer : de la gentillesse et de la bienveillance. Des cœurs ouverts et généreux, j'en ai vu beaucoup depuis le printemps. Christian, mon garagiste, s'occupe de mon bolide depuis que je suis malade. Changement de pneus oblige, il m'a prêté son char pour que je puisse me rendre à l'hôpital pour mon dernier traitement. Tsé...

J'arrive donc à la Cité dans un gros Dodge avec un volant chauffant (c'est l'fun ce gadget-là !) une heure d'avance. Ça aussi c'est différent. On a devancé mon ultime bronzage pour une raison que j'ignore, mais qui m'indiffère complètement. Tant que c'est le dernier, ils auraient pu le mettre à minuit le soir, j'y serais allée sans poser de questions.

Je débarque avec quatre romans et une orchidée. La plante, c'est pour ma Charlotte Gainsbourg-Anne-So. Mes docs ont toutes eu droit à la même fleur à la fin de chaque round de traitement. Une chose si délicate qui pousse dans de la roche, c'est pas rien. Les romans, je les offre au technicien et aux techniciennes qui me bronzent depuis cinq semaines. La trilogie de David Goudreault, *La bête à sa mère* (à lire absolument si ce n'est déjà fait), et *La vérité sur l'affaire Harry Quebert* de Joël Dicker (une drogue dure, excellente pour chasser novembre). Te dire tous les cadeaux qu'ils reçoivent! Ça va des fleurs au tapis d'entrée (?), en passant par des muffins maison et des vêtements. Je me suis dit qu'un peu de lecture ferait différent. Ricardo, mon technicien, a déjà lu Dicker, mais ne connaît pas Goudreault. Et hop! Un nouvel amateur de littérature québécoise. Ils en voient passer, du monde, ces gens-là. Juste à la Cité, il y a quatre salles de radiothérapie et entre 25 et 30 patients par jour dans chaque salle. Le cancer fait des ravages.

En cinq semaines de traitements, moi, j'ai croisé trois cancers du côlon, beaucoup de cancers du sein, de la gorge, du poumon et des testicules. Et à travers tout ce beau monde qui essaie de rester en vie, je suis encore la p'tite jeune de la gang.

Mais en ce beau matin devancé, je ne vois pas les gens avec qui je suis habituellement. C'est tout juste si je croise rapidement l'autre « p'tite jeune » qui passe généralement avant moi. Elle aussi arrive presque au bout de son « aventure ». Elle a eu son diagnostic trois semaines après que j'ai reçu le mien. Elle a lu mes carnets tout du long. On a fait le voyage ensemble sans que je le sache et on se retrouve dans le même wagon pour la finale. Elle a les yeux clairs, le rire franc et des petites plumes disparates sur son crâne tout rond. Tu l'aimerais, j'en suis sûre.

Ça fait que je m'installe dans ma machine et, pour une dernière fois, je baisse ma jaquette. Cette jaquette que j'ai rapportée chez moi chaque jour parce que ça n'a pas de sens de la mettre au lavage après cinq minutes d'utilisation (c'est Grand-mère qui serait fière). Cette jaquette que je baisse depuis cinq semaines devant un homme, sans y prêter la moindre attention. Jusqu'à maintenant.

J'ai réalisé d'un coup que mon *chest* est devenu autre chose que feue ma poitrine de femme. Je n'ai plus aucun rapport de sensualité ou de pudeur avec cette partie de mon corps. Chose qui m'aurait semblé totalement aberrante il y a un an. Mes seins... disparus. Dans un an, on me reconstruira. Dans un an, je redécouvrirai cette part de moi si intrinsèquement liée à ma féminité.

Mais d'ici là, je vais vivre avec ce *chest* de béton avec aplomb et reconnaissance, sans me sentir moins femme pour autant. J'ai d'autres ressources, beaucoup d'humour et d'autodérision. Par contre, pour les scènes d'amour à la télé ou au cinéma, ça va prendre plus de créativité...

Je suis bien installée pour la dernière *ride*. Les techniciens quittent la pièce, et je me retrouve seule sous ma machine. Mes yeux se ferment, et je respire. Profond. Encore. Le bruit de l'engin qui démarre enterre presque le son des premières notes que j'entends, mais le feeling, lui, est omniprésent.

J'ai vingt-sept ans. Il fait un temps radieux, l'air est sec et chaud, ça sent le sucre et le tabac. Je suis dans une petite rue de La Havane et je porte une robe soleil. Mon cœur déborde, je suis heureuse, libre et légère comme de la soie au vent.

Les deux premières chansons de l'album phare du groupe Buena Vista Social Club me ramènent directement à Cuba, en 1998. Je ne sens pas les rayons qui détruisent les cellules de mon corps, je sens la chaleur du soleil des Caraïbes sur ma peau. Un souvenir heureux qui me dit que ce dernier bronzage est le point d'orgue de ce voyage non désiré. *¡Adios Cangrejo!*

Il ne me reste à présent que l'hormonothérapie à me farcir. Je redoute les chaleurs, l'insomnie et la prise de poids, mais, avec ou sans cancer, je serais passée par là *anyway*. On fait juste devancer la chose pour que mes hormones se tiennent tranquilles. Et tu sais quoi? Je suis totalement en accord avec ça.

LA DERNIÈRE SÉANCE

21 décembre 2018

Je marche sur Jarry, le pas léger. Je me suis invitée à l'improviste chez une fée pour l'apéro. J'aime que les choses soient spontanées, et cette fée-là habite à quinze minutes à pied de chez moi, ce qui rend les invitations promptes et toujours heureuses. J'arrête à la SAQ pour choisir un petit bourgogne blanc qu'on apprécie toutes les deux. C'est précieux, l'amitié, je veux en prendre soin. Le gars de la SAQ, dont j'ignore le prénom, mais que je reconnaîtrais sans faillir n'importe où dans le monde, m'offre son « rabais employé ». Depuis que je suis malade, il l'a fait quelques fois pour me faire sourire. Et ça marche.

Merci, l'ami.

J'arrive donc avec mon sourire qui perdure devant la vieille porte en bois de ma Rose. Tu sais, ces triplex qui ont reçu de l'amour au fil du temps et qui, grâce à ça, restent solides et fiers avec leur beauté d'antan ? C'est de même chez elle. Les matériaux sont nobles. Comme son cœur de mie de pain. Elle vient m'ouvrir, et ça déboule ; les mots et les baisers débordent, comme toujours. On se renifle, s'embrasse, se colle. Mes amitiés sont faites de caresses. Je suis chanceuse.

·

« *My God* que c'est dur ! »

Elle parle évidemment de mon *chest*. Après le manteau et les bottes enlevés vient le « tâtage » de ce qui occupe la majeure partie de ma vie depuis le printemps : ma poitrine. Elle touche, regarde, commente l'évolution des cicatrices et l'élasticité de ma peau avec admiration. C'est vrai que c'est admirable. Le corps humain a une capacité de guérison hallucinante, je te jure. Bon, c'est sûr que ça prend du temps. Et l'impatiente que je suis voudrait déjà être rendue à l'an prochain, mais elle a raison. En neuf petits mois, mon corps s'est réparé formidablement. J'ai le *smile* et la fierté accotés.

Pendant qu'elle ouvre la bouteille et que je baisse mon chandail, mes yeux, eux, tombent sur Elle. Je viens pourtant assez souvent ici. Je connais bien la maison, ses multiples décorations et autres œuvres d'art. Mais fouille-moi pourquoi, aujourd'hui, je ne vois qu'Elle. Comme si un gros *spot* chaud l'éclairait en plongeant le reste de la pièce dans le noir. Je ne vois plus que Marilyn, presque nue, deux énormes fleurs devant ses seins. Puis, je lis le titre de l'œuvre : *La dernière séance*. Dans la douceur d'un 5 à 7 improvisé, j'ai trouvé de quoi sera fait le dernier texte de mes carnets...

Marilyn. Une image féminine forte, une image sensuelle, charnelle et sexy. Une vie faite de peau. De chagrin. Derrière le grain de la pellicule, une détresse immense. Derrière le regard embué par l'alcool, le naufrage d'une femme. Une icône. Un sexe-symbole à la beauté magnifiée bien avant notre ère Instagram. Avoir le monde à ses pieds et être si seule... Si incroyablement triste.

Marilyn est synonyme de féminité et de sensualité. Depuis que les traitements sont terminés, je réfléchis souvent à ça, l'intimité. Je pense à ces femmes que j'ai croisées ces derniers mois. C'est un sujet que je n'ai abordé avec aucune d'elles, toutes trop prises dans le tourbillon des hôpitaux, à tout avaler et s'injecter pour survivre. Mais maintenant que le calme revient peu à peu, que la douceur de simplement vivre commence à se faire sentir, comment je vais faire ça donc, renouer avec mon intimité ? Cette sensuelle liberté qui m'était jadis si précieuse ? Cette confiance en moi, en mon corps de femme, est-ce que je l'ai encore ? Sincèrement, je pense que oui. En fait, j'en suis certaine.

Pis c'est pas pour faire ma fraîche.

Même si j'essaie de mettre en scène ma dernière photo,
je n'y arrive pas. On aura été, jusqu'au bout, sans filtre
ni Photoshop. Avec un brin d'humour et d'autodérision.
N'est pas Marilyn qui veut !

Je suis profondément convaincue d'appartenir à cette race de monde qui assume. J'ai toujours été *all in. What you see is what you get.* Et ce n'est pas le cancer qui a changé ça, je le sens. Alors, passée la première réaction – parce qu'il y en aura une, on ne va pas se le cacher –, j'ai l'intime conviction que ça va bien aller. C'est de même, j'ai confiance. Mais quand je pense à toutes celles que j'ai croisées, je me demande comment, elles, elles se sentent. Si leur regard a changé ; si elles se trouvent belles malgré tout ou si elles fuient leur image ; si les hommes ou les femmes dans leur vie sont assez amoureux et amoureuses pour les rassurer. Je l'espère de tout mon cœur. Et je nous souhaite de la douceur. Parce que le chemin parcouru a été *rough*, je nous souhaite des envolées de caresses, des frissons d'engouement, des souffles chauds, des yeux remplis à ras bord. Et beaucoup de fous rires.

Avec ou sans seins, belles femmes, *shinons* toutes en chœur.

Comme je te l'ai écrit plus tôt, c'est la fin de mes carnets... Il est temps de se quitter, mon ami. Je suis déjà plus que reconnaissante d'avoir bien voulu prendre ma main tout au long de ce parcours assez rushant merci. Je sais que parfois, tu as arrêté de lire parce que j'étais trop directe, trop brute. T'étais pu capable d'en prendre, mais... tu finissais par revenir. Je sais que souvent, tu as tremblé et pleuré avec moi. Tu as souri aussi et parfois même avec du bruit. Tu as senti les odeurs et vu les couleurs, tu as ressenti les souffrances, les miennes comme celles des autres. Tu les as rencontrés avec moi, les Pedro, Jacinthe, Marjo et compagnie. Tu as voyagé avec moi, à l'abri ou pas, derrière mes mots. Et tu sais maintenant, comme moi, ce qui se cache derrière les portes du terrible mot « oncologie ».

Je me rappelle le printemps. Le choc, l'angoisse, le gouffre, la peur, les questionnements qui roulent en boucle dans ma tête et qui font se débattre mon cœur. Les cent pas. La mort de mes deux tantes. Les nombreux et nouveaux termes médicaux qui se transforment en autant de mises à mort. Le corridor de Sacré-Cœur. L'ablation de mes deux seins. Le soulagement d'être débarrassée de ces crabes qui ont envahi mon corps sans permission. La douceur de mes fées. L'éblouissante charge d'amour de mon entourage. Ma chaise rouge de convalescente. Mon lit rempli d'oreillers. Le temps qui s'étire. Mes larmes qui coulent. Mon élastique pété, la perte de tous mes filtres.

Et toi. Toi qui prends ma main. Qui me lis, me suis.

Je me souviens de l'été. Les grandes portes de l'aile d'oncologie qui s'ouvrent pour moi. Les chaises bleues de chimio. L'odeur de médicament. Le buzz du décadron. La rencontre avec Jacinthe qui me plogue sur le fameux jus rouge. Les *bad trips*, les nausées, les éternelles nuits du troisième jour, le manque de plaquettes, ma poitrine qui se gonfle 60 ml à la fois et qui pèse chaque fois 20 lb de plus. Le temps qui s'étire encore et encore. Les injections quotidiennes. Mes larmes qui coulent et mes cheveux qui tombent. La semaine des bonnes nouvelles. Le jus blanc qui fait mal, toujours un peu plus. La piscine au sel d'une fée. La douceur de ma sœur. La dernière chimio. Les ballons rouges et blancs, les cartes postales. Le grand débranchement. Le matin où je ne marche plus. La rentrée des classes, le début d'un répit.

Et toi. Toi qui tiens toujours ma main. Qui me lis, me suis.

Je sors doucement de l'automne. Je me rappelle la route vers la Cité. La blancheur du centre, la beauté d'Anne-So, la gentillesse des techniciens. Je me souviens de Bowie, des marches dans mon quartier, de ma peau qui brûle lentement mais sûrement. La mort de Grand-mère et la fin de ma *run* qui se dessine enfin. Je dors beaucoup, je me crème sans arrêt, je me répare. Je te donne de moins en moins de mes nouvelles. Ma vie se calme. Mon cœur bat sans se débattre. Je ne pleure plus. Le temps reprend une vitesse normale. Je ris. Mes cheveux et tous mes poils repoussent. Je retrouve mon esthéticienne et mon énergie vitale. La mienne. Je peux dormir sur les deux côtés avec juste deux oreillers. Mes bras lèvent au complet. Je retourne au gym et à la piscine en janvier. J'ai chaud, je fais de l'insomnie. L'hormonothérapie fonctionne. J-A, mon oncologue, est contente. Alors moi aussi.

Et toi. Toi qui me tiens encore la main. Qui me lis, me suis.

Trois saisons. Neuf mois. Le temps d'une grossesse, je me suis portée. Que de chemin parcouru en si peu de temps au final! Trump a eu le temps de dire et de faire beaucoup de niaiseries, pendant qu'au Québec, les t-shirts ne passent toujours pas, que ce soit à l'Assemblée nationale ou dans les galas. Eh ben...

C'est le moment de se quitter. Je cherche depuis plusieurs jours la meilleure façon de laisser aller ta main. J'ai pensé à Gerry et sa si belle *Pour une dernière fois*. J'ai réécouté *Te quitter* de Daniel Bélanger. Je me suis reconnue dans Hubert Lenoir et sa *Fille de personne* : « J'ai vu un avenir de femme libérée, où tu portais le cuir et la tête rasée ». Marie-Pierre n'est jamais bien loin, et j'ai vu Patrick Watson en spectacle hier, mais je ne te quitterai pas avec une chanson. Tu vaux plus que ça. Je vais le faire avec des mots, les miens. Ceux qui nous ont permis de tisser ce lien, ceux qui ont fait en sorte qu'on se prenne par la main.

Imagine-moi de dos. Face à mon lac. J'ai mon manteau d'hiver noir, des boucles d'afro qui sortent de ma tuque parce que je n'ai pas encore assez de cheveux pour me tenir au chaud, mes mitaines, et le bout du nez froid. Le vent du nord souffle fraîchement. Il fait soleil et -2 degrés Celsius. On est bien. Je me tourne vers toi et te souris. Tu t'approches et on se prend dans nos bras. Une longue accolade qui veut dire merci.

Merci.
On se retrouvera ailleurs.
C'est promis.
Salut mon ami.
Joyeux et heureux Noël.
Pis tu sais-tu quoi?
Je te souhaite la Santé.

ANICK NIQUE LA BÊTE

Texte de David Goudreault

Il était une fois, puis deux, puis trois fois de trop
À se taper les traitements de chimio,
l'hôpital, les opérations
Les effets secondaires et la peur
primaire, primale de crever...
On l'appelle le crabe, le traître, le cancer ou la bête
On la surnomme la brave ou la guerrière,
mais Anick n'a jamais désiré la faire, cette guerre
Elle est plutôt une survivante,
ou mieux : une résistante
Forcée à se battre, à saisir l'injustice par les cornes
À la chevaucher pour mieux niquer la mort
L'espoir en *strap-on*
Aller jusqu'au bout de ce funeste rodéo
Et tant qu'à le faire, autant le faire
avec un sourire et un afro
Matamore, toréador et taureau à la fois
Jusqu'au bout du gouffre lumineux
La dernière séance, au bout du tunnel
En différé du cosmos, ou en direct de l'Univers
Fidèle à elle-même, quelques seins en moins
Mais du cœur en masse
Battant, comme sa prose
Regardez-la dompter et promener la bête en laisse
Au bout d'un ruban rose
Pour tant d'anonymes, hublot unique
Par ses chroniques, une voix fine, une fine plume
Maintenant on sait ; y'a pas juste de
la vie qui coule dans ses veines
Y'a de l'encre aussi
On a découvert une écrivaine.

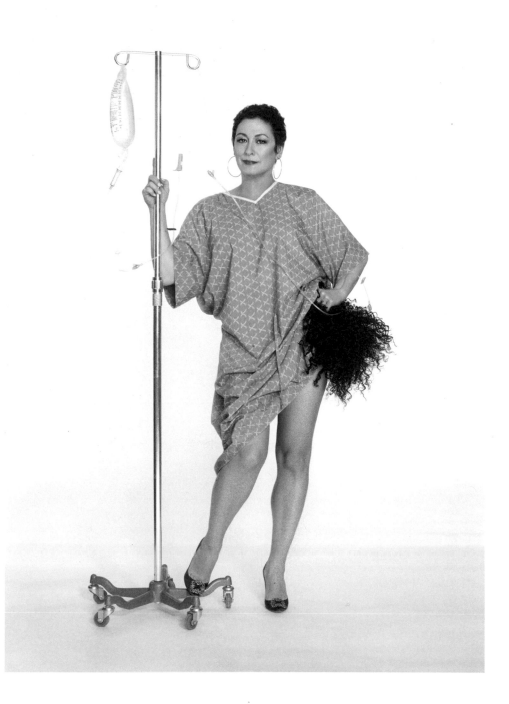

ELLES, QUI ONT SAUVÉ MA VIE

Mariepier Doyon (infirmière : la recrue, *en haut à gauche*)
Jacinthe Pilote (infirmière : MA Jacinthe, *au centre*)
D^re Dominique Synnott (chirurgienne oncologue, *en haut à droite*)
D^re Josée-Anne Roy (oncologue, *en avant à gauche*)
D^re Geneviève Gaudreau (chirurgienne plastique, *en avant au centre*)
D^re Anne-Sophie Gauthier-Paré (radio-oncologue, *en avant à droite*)

REMERCIEMENTS

Un matin frisquet de printemps, fin mars 2018, je vais rejoindre mon amie Miryam Bouchard et son viking d'amoureux Pierre-Mathieu Fortin dans un café du Vieux. Ils m'ont cueillie et accueillie avec tant d'amour et d'humanité que j'en ai été bouleversée. Merci d'avoir entendu mon cri et de m'avoir présentée à Rose-Aimée Automne T. Morin chez URBANIA. Une splendeur de femme, une humaine sensible et dévouée. Avec elle, j'ai écrit d'abord timidement. Une première lectrice, c'est toujours gênant. Avec elle, j'ai pris mes aises et acquis des ailes entre deux chimios pour, finalement, laisser mes doigts courir sur le clavier, sans me censurer. Merci pour cette incroyable liberté. À jamais avec et pour toi, RAA.

Quand le gouffre s'ouvre, tu te tournes naturellement vers qui ton cœur te porte. Mon gouffre s'est ouvert à deux reprises. Dans le premier, ma Wonder fée Lyne Henderson m'a rattrapée in extremis. Tu as été la première à tenir ma main, à essayer de contrôler mon wagon en sachant très bien qu'on n'y pouvait rien. Tu as été et restes pour toujours mon gouvernail. Merci, ma Won. Tellement. Vraiment.

À l'ouverture du deuxième gouffre, l'abyssal, celui auquel je ne m'attendais sincèrement pas, Annie Grenier et Roxanne Lemay m'ont littéralement portée à vau-l'eau, dans la pire tempête de ma vie. Les deux nuits improbables et infernales qu'on a vécues ensemble sont à jamais gravées dans mon cœur. Rarement vu zamboni aussi efficace. Mes sœurs de sang et de cœur, merci.

La plus petite et la plus grande dans mon cœur, Simone. Ma fille, mon enfant, ma joie, mon bonheur. Merci. Pour ta richesse, ton amour, ta vulnérabilité, ton insouciance bienfaisante, ton HUMOUR et tes baisers. Je t'aime à l'infini plus plus.

Et il y a toutes celles qui ont tremblé avec moi et se sont rassemblées pour me rendre la vie plus douce. Celles-là sont nombreuses, et je suis chanceuse.

Merci à ma Mom Diane Doyon ; merci à toi, Louise Latraverse ; à toi aussi, Julie Le Breton ; et toi, Marie-Chantal Perron ; pis toi, Tammy Verge ; toi, belle Hélène Bourgeois Leclerc ; et toi, ma Rose-Anne Déry ; toi, ma Rose-Rosalie Bergeron ; pis toi, ma coucou Karina Lemay ; toi, Mélanie Gagné aux mains magiques ; toi, Christine Charbonneau ; toi, Isabel Richer ; pis toi, Chantal Fontaine ; pis toi, ma Sylvie Léonard ; pis toi, ma plus grande amie, Nancy Champagne ; toi, mon Angie/ Angella Pattas ; et pis toi aussi, Stéphanie Gauthier.

Des mots d'hommes, des gestes masculins qui veulent dire « je t'aime, mon amie », j'y ai eu droit aussi. Mon Daddy Daniel Lemay, Yanik Tougas, Daniel Parent, Rémi-Pierre Paquin, Jean-François Nadeau, Guig Cara et Guillaume Parisien. Merci, les beaux. Moi, je vous aime.

À toi, Philippe Lamarre, grand manitou qui fais que ce livre – notre premier à tous les deux – existe, merci. T'es hot. À toi, Raphaëlle Huysmans ; toi, Julie Perreault ; toi, Anne-Marie Deblois ; toi, Anthéa St-Laurent Vallée ; et toi, Émilie Choquet, je vous lève ma perruque. Merci pour votre grande générosité et votre superbe rigueur !

Et finalement, un merci avec la face gênée, les yeux fermés par peur qu'ils ne débordent de par mon cœur rempli... Je m'incline devant ton talent et ton humanité à couper au couteau, David Goudreault. Tu m'as fait un immense cadeau.

Santé !

GROUPE SUSTANA

Marquis imprimeur inc.,
en partenariat avec Rolland inc.,
est fière de remettre un don
à la Fondation québécoise du cancer
pour chaque copie vendue de ce livre.

MARQUIS

Québec, Canada

MIXTE
Papier issu de
sources responsables
FSC® C103567

Imprimé sur Marquis Opaque.
Ce papier contient 30 % de fibres postconsommation,
est fabriqué avec un procédé sans chlore élémentaire
et à partir d'énergie biogaz.
Il est certifié FSC® et Rainforest Alliance[MC].

30%   ECF   BIO GAZ   PERMANENT